國學經典故事
吳國　越國　燕國卷

萬安培　主編

《國學經典故事》
編輯委員會

專家顧問：李學勤　清華大學出土文獻研究中心主任，夏商周斷代工
程和中華文明探源工程首席專家
張希清　北京大學中國文化研究所所長，著名文史專家
王震中　中國社會科學院學部委員、歷史研究所副所長，
著名先秦史專家
劉玉堂　湖北省社會科學院副院長、華中師範大學特聘教
授，著名楚文化專家
韓養民　西北大學歷史學院教授，著名秦文化專家
江林昌　煙臺大學副校長、山東師範大學齊魯文化研究院
院長，著名齊魯文化專家

主　　編：萬安培

編輯委員會（按姓氏筆畫排序）：

王　凡	王廣西	付武林	刑　磊	吳正章	宋　海
李勇衛	李會明	周　林	周　峻	周傳琴	林明學
胡宏兵	夏緒虎	陳以志	游　峰	童其志	黃守岩
萬安培	葛　文	賈志杰	鄒進文	劉寶瑞	鄧天洲
鄧　紅	鞠加亮	韓曉生			

編寫組成員（按姓氏筆畫排序）：

汪子鈞	邱小明	胡　博	孫　樂	國應福	張軍翠
萬俊峰	萬憬浩	劉海燕	潘陳靜	譚曉藝	

責任編輯：陳曉東　鄒少雄　靳　強　沈　紅
余兆偉　黃　沙　劉天聞　劉　佳

序言

中華優秀傳統文化傳承需要國學傳播方式的現代表達

今天我們所說的「國學經典」，包括經、史、子、集等，範圍是非常廣泛的。廣義的「國學經典」，包括一些著名的蒙學讀物、詩詞曲賦、志怪小說、世情小說、歷史演義等。這些著作，不少是經過時間淘瀝和歷史沉澱的文化精品，是傳統文化的精華。由優秀傳統文化結晶形成的文化寶庫，不僅是中華民族屹立於世界民族之林的獨特標識，也是今天實現偉大復興強國夢取之不盡、用之不竭的智慧之源。

中華優秀傳統文化或者說國學經典的傳承，不應該只是文史領域少數專家學者的孤芳自賞，至少應包括兩個主要的內容。一是各級領導幹部要帶頭學國學，以學益智、以學修身、學以致用、身體力行；二是要培養全民族特別是青少年研習國學經典的興趣，藉助於誦讀經典，提高全民族的國學素養，激發青少年熱愛中華文化的拳拳之心和殷殷之情。

近年來，由於黨和國家的高度重視，一股學國學、講國學，注重吸取優秀傳統文化滋養的良好風尚正在形成。不過，就整體而言，國學經典的普及與推廣還面臨不少障礙：一是一些人墨守過去大批判的

思路，對中國傳統文化採取一概排斥、一棍子打死的態度；二是大眾古文和傳統文化基礎知識薄弱；三是網路時代速食文化盛行，大量擠佔公眾閱讀的空間與時間。

對待歷史虛無主義，最好的辦法是讓人們通過閱讀國學經典，從中汲取和提煉修身處世、治國理政的智慧，養浩然之氣，塑高尚人格，不斷提高人文素養和精神境界。面對國學基礎薄弱和速食文化盛行的挑戰，則必須考慮在經典傳播表達方式上大膽突破創新。

研讀國學經典是一種高含金量的文化閱讀，除需要一定的古文功底，還需涉獵大量的歷史典故知識。要營造全民學國學、講國學的文化氛圍，就必須在國學經典的大眾化、通俗化和趣味性方面做文章。這方面，先秦諸子百家早已為我們樹立了榜樣。他們在表達自己的政治觀點和學術主張時，從來不是長篇大論和空洞說教，而是巧借通俗生動的寓言故事，來闡發修身齊家治國平天下的大智慧。面對網路時代閱讀形態、閱讀人群和閱讀終端的新變化，國學經典的傳播不能沿襲傳統的表達和傳播方式，必須在創新上狠下功夫。習近平總書記提出要「推動中華優秀傳統文化創造性轉化、創新性發展」。我以為，傳統文化創造性轉化和創新性發展的一個重要方面，就是國學傳播方式的現代表達。中央電視臺《中國詩詞大會》節目大獲成功就是一個重要例證。

以往的國學經典傳播，大多是「原文＋註解＋翻譯＋點評」的模式。一些研究性著述引經據典，章節繁複，不厭其詳，未能考慮網路時代「90後」「00後」讀者的感受。與傳統的國學經典表達和傳播方式相比，萬安培先生主編的這套《國學經典故事》，至少具有以下三個特點：

第一是短小精悍，通俗易懂。從國學經典中選取情節精彩的篇章，以短小精悍的故事形式呈現，既保留了國學精華，又便於閱讀記憶，還可進一步培養讀者閱讀經典原著的興趣。

第二是系統全面。這套叢書上起先秦，下迄清末，含括了中國上下數千年主要國學經典著作，計劃收錄故事兩萬個以上。從目前已完成的春秋戰國卷約二千八百個故事來看，這應該是一個較大的系統工程。《國學經典故事》的出版問世，將是國學經典普及的大事和幸事。

第三是生動活潑，寓教於樂。《國學經典故事》致力於發掘國學經典中膾炙人口、發人深省的內容，以講故事的形式傳播國學，實施倫理道德教化，受眾面更寬，能充分發揮優秀傳統文化滋養社會主義核心價值觀的功能。以往一說起國學經典，人們很自然聯想到枯燥的「之乎者也」，現在改為輕鬆快樂講故事，各個年齡層次和文化結構的人應該都會喜聞樂見。

二〇一七年一月二十五日，中共中央辦公廳和國務院辦公廳聯合印發了《關於實施中華優秀傳統文化傳承發展工程的意見》，其中特別提到要深入闡發中華優秀文化精髓，創新表達方式，編纂出版系列文化經典，綜合運用大眾傳播、群體傳播、人際傳播等方式，構建全方位、多層次、寬領域的中華文化傳播格局，推動中外文化交流，助推中華優秀傳統文化的國際傳播。萬安培先生策劃推出的《國學經典故事》系列，與該意見精神高度吻合。目前他們正策劃將國學經典故事精華譯成外文出版，爭取將其作為中外文化交流的禮品書，期待國學經典像《格林童話》《安徒生童話》《伊索寓言》一樣傳遍世界，造福全人類。相信廣大讀者對這類助推中華優秀傳統文化國際傳播的

嘗試和努力，一定會給予充分肯定和大力支持。

　　萬安培先生是經濟學專業博士，長期在金融部門工作，但他醉心文史，嘗試國學經典傳播方式的現代表達。二〇一六年四月他推出「楚楚動人網」微信公眾號，每天發表以國學經典故事為背景的短論，很受讀者歡迎。作為企業界人士，能在繁忙的工作之餘堅持國學研究，專注於經典傳播，其精神令人感動，而他這種創新的國學經典傳播方式也值得稱許，這也是我很樂意為叢書作序的原因所在。衷心希望這套叢書能得到社會各界人士的喜愛，達到編纂者所希望的效果。

　　是為序。

郭齊勇

二〇一八年二月二十三日

目錄

◈ **序言**

◈ **吳國卷** ─────────────────────── 001

吳國卷

　　吳國是長江下游地區的姬姓諸侯國，也叫句吳、子爵，其始祖為周太王之子太伯、仲雍。吳國共歷二十五世，從太伯到第九任國君余橋疑吾，在位時間均不可考；從西元前九一九年第十任國君柯盧在位，到西元前四七三年吳國被越國所滅，期間約四百四十六年。吳國與中原國家的頻繁交往，始於楚共王二年（前589）楚臣屈巫叛楚投晉之後。吳國季札通習中原禮樂，伍子胥、孫武為吳國名將，吳王夫差也曾在黃池之會上終結晉國霸主地位，短暫稱霸。

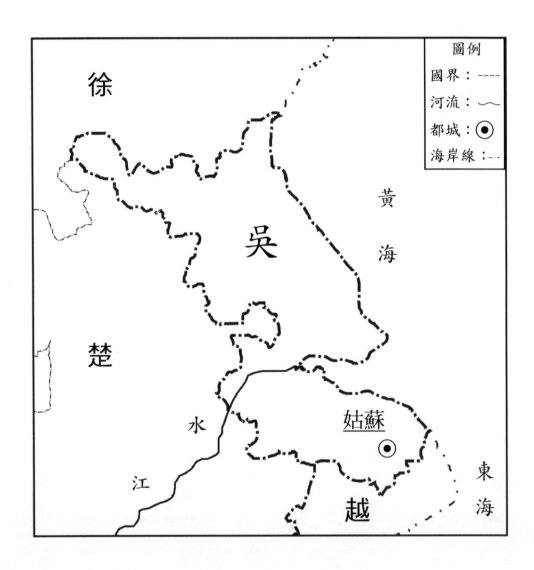

營種之術

　　吳國的先祖太伯，是后稷的後代。后稷的母親是台氏的女兒姜嫄。姜嫄為帝嚳的正妻，她年輕時有一次到野外遊玩，發現地上有巨人的腳印，就走上去踩它，當時只覺得身體顫動，心有所感，後來就懷孕了。她踩的是上帝的腳印。生下兒子後，姜嫄視為怪物，將他拋棄在狹窄的小巷裡，但路過的牛馬都掉頭躲避他，於是又把他轉移到樹林裡，恰好遇上許多伐木人，就再次改換地方，將他丟棄在結了冰的池澤上，隨後就有許多鳥兒飛來，張開翅膀為他覆蓋取暖。姜嫄覺得很神異，於是將他抱回來撫養成人。因為曾經想拋棄他，所以取名叫「棄」。棄很小的時候就喜歡種植穀子、黍子、桑樹、大麻等農作物。他對各種適宜耕作的土地和適宜栽種的莊稼都有考察研究。當時是堯執政，因為洪澇災害，老百姓都搬到高地居住。堯就聘用棄，讓他訓導民眾依山而居，隨地建房，建立村落，研究種植技術。過了三年，老百姓走在路上再也看不到饑餓之色。於是堯任命棄為農業大臣，把他分封於台地，稱之「后稷」，姓姬氏。后稷於是在封國台地做了諸侯。

【出處】

　　吳之前君太伯者，后稷之苗裔也。后稷其母，台氏之女姜嫄，為帝嚳元妃。年少未孕，出游於野，見大人跡而觀之，中心歡然，喜其形像，因履而踐之。身動，意若為人所感。後妊娠，恐被淫泆之禍，遂祭祀以求，謂無子，履上帝之跡，天猶令有之。姜嫄怪而棄於厄狹

之巷，牛馬過者折，易而避之。復棄於林中，適會伐木之人多。復置於澤中冰上，眾鳥以羽覆之。后稷遂得不死。姜嫄以為神，收而養之，長因名棄。為兒時，好種樹禾、黍、桑、麻、五穀，相五土之宜，青赤黃黑，陵水高下，粢、稷、黍、禾、藥、麥、豆、稻，各得其理。堯遭洪水，人民氾濫，遂高而居。堯聘棄，使教民山居，隨地造區，研營種之術。三年餘，行人無饑乏之色。乃拜棄為農師，封之台，號為后稷，姓姬氏。后稷就國，為諸侯。(《吳越春秋》〈吳太伯傳〉)

杖策去邠

后稷死後，他的兒子不窋繼位。夏朝的統治衰微，不窋失去農業大臣的職位逃奔到戎狄。不窋的孫子叫公劉。公劉非常仁慈善良，連走路都不肯踐踏鮮嫩的野草，駕車時總是避開初生的蘆葦。為了躲避夏桀的無道，公劉闢地於戎狄之間，施行仁政，移風易俗，重視教化。公劉死後，兒子慶節繼位。慶節之後的八代孫是古公亶甫，他繼續從事公劉、后稷的事業，廣積德，實行道義，被狄族的民眾所仰慕。薰鬻和戎人出於妒忌而攻打他。古公不斷送給他們牛羊犬馬和毛皮珍寶，但攻伐卻不見停止。於是古公問說：「你們到底想要什麼？」對方回答說：「想要你的土地。」古公說：「有道德的人不因為養人的土地而戕害了被養的人民。如果戕害了人民，國家就會滅亡呀。我不可能安居於此。」為了避免爭奪土地引發戰爭，古公於是乘馬離開邠地，翻越梁山，來到岐山居住。他說：「別人做邠地的君主與我做

又有什麼不同呢？」然而邠地的人民卻扶老攜幼跟隨他。過了三個月，古公就在岐山建起了內城和外城。一年之後，建成了一座城市。兩年之後，都城建好，岐周的百姓就增長到建國初期的五倍。

【出處】

卒，子不窋立。遭夏氏世衰，失官，奔戎狄之間。其孫公劉。公劉慈仁，行不履生草，運車以避葭葦。公劉避夏桀於戎狄，變易風俗，民化其政。公劉卒，子慶節立。其後八世而得古公亶甫。修公劉、后稷之業，積德行義，為狄人所慕。薰鬻戎姤而伐之，古公事之以犬馬牛羊，其伐不止。事以皮幣、金玉、重寶，而亦伐之不止。古公問：「何所欲？」曰：「欲其土地。」古公曰：「君子不以養害，害所養，國所以亡也。而為身害，吾所不居也。」古公乃杖策去邠，逾梁山而處岐周。曰：「彼君與我何異？」邠人父子兄弟相帥，負老攜幼，揭釜甑而歸古公。居三月，成城郭，一年成邑，二年成都，而民五倍其初。（《吳越春秋》〈吳太伯傳〉）

三讓不受

古公有三個兒子，長子太伯，次子仲雍，仲雍又名吳仲，少子季歷。季歷娶太任氏為妻，生子姬昌。姬昌有成為聖王的吉兆。古公聽說後，就想把國家傳給姬昌。古公說：「能夠復興王業的人，大概就是姬昌吧。」於是就把姬昌的父親改名為季歷。太伯、仲雍觀察到古公的意圖，商量說：「歷是嫡的意思，季歷就是繼立吧？」後來古公

病了，太伯、仲雍兄弟倆就藉口到衡山採藥，乘機逃到荊楚南蠻之地，剪短頭髮，文了身，穿上當地土著民族的服裝，表示不再有繼位的想法。古公去世後，太伯、仲雍趕回岐周奔喪，喪禮結束後又返回荊楚南蠻。當地人民都把太伯當君主來侍奉。於是太伯自建國號為句吳。吳地民眾問他說：「憑什麼要叫句吳呢？」太伯說：「我以長兄身分居國君之位，但我沒有兒子，接下來受封的應該是我弟弟吳仲，我取國號句吳，不是正合適嗎？」荊楚南蠻之地的老百姓都崇敬太伯的義行，歸順投奔他的有一千多家，共同擁戴他建立了句吳國。幾年之後，人們就過上了殷實富足的生活。這時正逢商朝末年，世道衰微，中原各國戰亂不斷。因為擔心戰禍連累到荊楚蠻地，太伯發動人民修築起了周長為三里二百步的內城與周長三百餘里的外城，這城築在西北，名為故吳城，民眾都在城中耕種生活。古公臨死前曾經遺言季歷把岐周的王位傳給太伯，但季歷多次讓國，太伯都沒有接受。所以古書上說：「太伯曾三讓天下。」於是季歷執政，繼續從事前代君王的事業，堅持實行仁義的原則。季歷去世後，立兒姬昌為國君，號稱西伯，他遵循公劉、古公的統治方法，致力於養老事業，於是天下眾人歸附他。西伯使國家太平，伯夷從海邊投奔他。西伯去世後，立太子姬發為國君，任命周公旦、召公奭討伐商王朝。周朝平定殷商之後，給古公追加謚號為太王，同時追封太伯為吳國諸侯。

【出處】

古公三子，長曰太伯，次曰仲雍，雍一名吳仲，少曰季歷。季歷娶妻太任氏，生子昌。昌有聖瑞。古公知昌聖，欲傳國以及昌，曰：「興王業者，其在昌乎？」因更名曰季歷。太伯、仲雍望風知指，

曰：「歷者，適也。」知古公欲以國及昌。古公病，二人託名採藥於衡山，遂之荊蠻。斷髮文身，為夷狄之服，示不可用。古公卒，太伯、仲雍歸，赴喪畢，還荊蠻。國民君而事之，自號為勾吳。吳人或問：「何像，而為勾吳？」太伯曰：「吾以伯長居國，絕嗣者也，其當有封者，吳仲也。故自號勾吳，非其方乎？」荊蠻義之，從而歸之者千有餘家，共立以為勾吳。數年之間，民人殷富。遭殷之末世衰，中國侯王數用兵，恐及於荊蠻，故太伯起城，周三里二百步，外郭三百餘里。在西北隅，名曰故吳，人民皆耕田其中。古公病將卒，令季歷讓國於太伯，而三讓不受，故云：「太伯三以天下讓。」於是季歷蒞政，修先王之業，守仁義之道。季歷卒，子昌立，號曰西伯。遵公劉、古公之術業於養老，天下歸之。西伯致太平，伯夷自海濱而往。西伯卒，太子發立，任周、召而伐殷，天下已安，乃稱王。追諡古公為大王，追封太伯於吳。（《吳越春秋》〈吳太伯傳〉）

周公禮樂

吳壽夢元年（前585），吳王壽夢開始與中原各國交往。先去朝見周天子，又去拜會楚共王，並觀賞了諸侯的禮儀和音樂。後來又與魯成公在鍾離相會。魯成公向他詳細介紹了周公禮樂的內容，還為他詠唱了夏、商、周三代的風俗。壽夢說：「我生活在東南的夷蠻之地，只是隨當地習俗，把頭髮挽成椎形的髻子而已，哪裡見識過這樣的禮樂服飾呢？」離去時讚歎說：「周禮真好啊！」

壽夢元年，朝周，適楚，觀諸侯禮樂。魯成公會於鍾離，深問周公禮樂，成公悉為陳前王之禮樂，因為詠歌三代之風。壽夢曰：「孤在夷蠻，徒以椎髻為俗，豈有斯之服哉？」因嘆而去，曰：「於乎哉，禮也！」（《吳越春秋》〈吳王壽夢傳〉）

始通中國

壽夢二年（前584），楚國逃亡到晉國的大夫申公巫臣自晉國前往吳國，把他的兒子狐庸留在吳國擔任行人，教給吳國人射箭和駕馭車馬的本領。然後帶領吳國討伐楚國。楚王大怒，派子反率軍迎戰，打敗了吳國的軍隊。於是兩國結下怨仇。也就是從這時候開始，吳國才真正開始結交中原國家，與楚、越、齊等諸侯為敵。

【出處】

二年，楚之亡大夫申公巫臣適吳，以為行人。教吳射御，導之伐楚。楚莊王怒，使子反將，敗吳師。二國從斯結仇。於是吳始通中國而與諸侯為敵。（《吳越春秋》〈吳王壽夢傳〉）

授國於札

壽夢有四個兒子，大兒子叫諸樊，二兒子叫餘祭，三兒子叫餘昧，最小的兒子叫季札，季札在四兄弟中最為賢能。壽夢二十五年

（前561），壽夢病危將死，想把王位傳給季札。季札推讓說：「周禮有老規矩，怎麼能廢棄祖宗的禮制，因循父子之間的私情呢？」壽夢於是命令諸樊說：「我希望能把國家傳給季札，你不要忘記我的話。」諸樊說：「從前周太王古公認為姬昌聖明，不傳國於太伯而傳給少子季歷，王道因此復興。現在您想把國家交給季札，我情願離開宮廷，到鄉下去種地。」壽夢說：「吳國只是個小國，哪裡能成就統一天下的大業？你只要記住父親的話，按伯、仲、叔、季的次序傳授君位，最後把國家交給季札就可以了。」諸樊說：「誰敢不服從您的命令呢？」壽夢去世，諸樊便以嫡長子的身分代理行事，主持國政。

【出處】

二十五年，壽夢病將卒。有子四人：長曰諸樊，次曰餘祭，次曰余昧，次曰季札。季札賢，壽夢欲立之，季札讓，曰：「禮有舊制，奈何廢前王之禮，而行父子之私乎？」壽夢乃命諸樊曰：「我欲傳國及札，爾無忘寡人之言。」諸樊曰：「周之太王知西伯之聖，廢長立少，王之道興。今欲授國於札，臣誠耕於野。」王曰：「昔周行之德，加於四海，今汝於區區之國，荊蠻之鄉，奚能成天子之業乎？且今子不忘前人之言，必授國以次及於季札。」諸樊曰：「敢不如命？」壽夢卒，諸樊以適長攝行事，當國政。（《吳越春秋》〈吳王壽夢傳〉）

仰天求死

諸樊服喪期滿後，主動提出讓君位於季札，說：「過去父王在世

時，早晚坐立不安。我觀察他的臉色，是希望能傳位於你。雖然父王沒把這句話說出口，但我心裡已許諾他了。父王不忍破壞祖宗制度去施行個人的主張，仍然把國家託付給我，我豈敢不服從他的命令？現在這個國家應是你的國家，我希望能按照父王的遺願，把它交給你來掌管。」季札推辭說：「嫡長子主持國政並不是個人的私事，而是祖傳的國家制度，怎麼能夠改變呢？」諸樊說：「從前太王改立少子季歷為王，兩位兄長自覺來到楚地建立國家。後人對此讚不絕口，這也是你所熟悉的啊。」季札又推辭說：「曹宣公死後，公子負芻自立為國君，嫡長子卻被殺死，諸侯和曹國人民都認為負芻自立為君不合道義。諸侯要擁立子臧為曹君，子臧卻逃離曹國，以此來成全成公的治國之道。我季札雖然沒什麼才能，卻願意傚法子臧，遠避君位。」季札聲稱要到野外種地，吳國人於是不再強求他。諸樊於是故意恣肆放縱，怠慢鬼神，只求老天爺讓他速死。臨死時，他命令弟弟餘祭說：「一定要把國家傳給季札！」餘祭把延陵分封給季札，所以他的稱號叫「延陵季子」。

【出處】

　　吳王諸樊元年，已除喪，讓季札，曰：「昔前王未薨之時，嘗晨昧不安，吾望其色也，意在於季札。又復三朝悲吟而命我曰：『吾知公子札之賢。』欲廢長立少，重發言於口。雖然我心已許之，然前王不忍行其私計，以國付我。我敢不從命乎？今國者，子之國也，吾願達前王之義。」季札謝曰：「夫適長當國，非前王之私，乃宗廟社稷之制，豈可變乎？」諸樊曰：「苟可施於國，何先王之命有？太王改為季歷，二伯來入荊蠻，遂城為國，周道就成。前人誦之不絕於

口,而子之所習也。」札復謝曰:「昔曹公卒,庶存適亡,諸侯與曹人不義而立於國。子臧聞之,行吟而歸。曹君懼,將立子臧。子臧去之,以成曹之道。札雖不才,願附子臧之義。吾誠避之。」吳人固立季札,季札不受而耕於野,吳人舍之。諸樊驕恣,輕慢鬼神,仰天求死。將死,命弟餘祭曰:「必以國及季札。」乃封季札於延陵,號曰「延陵季子」。(《吳越春秋》〈吳王壽夢傳〉)

蹶由犒師

　　吳王派他的兄弟蹶由到楚營犒勞軍隊,楚國人把他抓起來,準備殺死他用血祭鼓。楚靈王派人問他說:「你來之前占卜沒有,是吉是凶呢?」蹶由回答說:「吉利。我們君主聽說楚國將要出兵攻打我們,就用守龜占卜說:『我將派人去犒勞楚國的軍隊,藉以觀察楚王的情緒,也許神能使我預先知道吉凶。』占卜的卦象告訴我們吉利,說:『可以得勝。』如果您高高興興地迎接使臣,增加吳國的懈怠,吳國離滅亡就沒有幾天了;現在君王勃然大怒,虐待和逮捕使臣,並以使臣的血來祭鼓,我們吳國必然會高度戒備。吳國雖然疲弱,但如果提高警惕,加強戰備,也許可以阻止貴國的進攻。吳國保持警惕,常備不懈,這可以說是吉利了。而且吳國占卜的是國家的吉凶,難道是為了我一個人?使臣雖然犧牲,吳國卻因此加強了戒備,難道還有比這更大的吉利嗎?國家的守龜有什麼事情不能占卜?一吉一凶,誰能夠肯定落在哪件事情上?城濮的卦象,在鄪城應驗。現在這一趟出使,占卜的卦象也許會有應驗的。」楚靈王於是放棄處死蹶由的打算。

　　吳子使其弟蹶由犒師，楚人執之，將以釁鼓。王使問焉，曰：
「女卜來吉乎？」對曰：「吉。寡君聞君將治兵於敝邑，卜之以守龜，
曰：『余亟使人犒師，請行以觀王怒之疾徐，而為之備，尚克知之。』
龜兆告吉，曰：『克可知也。』君若懽焉，好逆使臣，滋敝邑休怠，
而忘其死，亡無日矣。今君奮焉，震電馮怒，虐執使臣，將以釁鼓，
則吳知所備矣。敝邑雖羸，若早修完，其可以息師。難易有備，可謂
吉矣。且吳社稷是卜，豈為一人？使臣獲釁軍鼓，而敝邑知備，以御
不虞，其為吉孰大焉？國之守龜，其何事不卜？一臧一否，其誰能常
之？城濮之兆，其報在邲。今此行也，其庸有報志。」乃弗殺。（《左
傳》〈昭公五年〉）

燕之巢於幕

　　餘祭四年（前544），吳王派季札出使列國。第一站到達魯國，
季札要求欣賞周朝的音樂舞蹈。於是魯國樂工為他演唱了《周南》《召
南》《邶風》《鄘風》《衛風》《王風》《鄭風》《齊風》《豳風》《秦風》《魏
風》《唐風》《陳風》《小雅》《大雅》《頌》等，又為他表演了《象箾》
《南籥》《大武》《韶濩》《大夏》《招箾》等舞蹈。季札得以大飽耳福
和眼福，為之讚不絕口。離開魯國後，季札又到了齊國。他勸說晏子
說：「你快些交出你的封邑和官職。沒有這兩樣東西，你才能免於禍
患。齊國的政權快要易手了，易手之前，國家的動亂不會平息。」晏
子於是通過陳桓子交出封邑與官職，後來在欒、高二氏的相互攻殺中

倖免於難。季札離開齊國後到達鄭國。與子產一見如故。季札對子產說：「鄭國掌握政權的人驕奢欺人，大難將臨，政權定會落在你的肩上。你執政時，要小心地以禮治國，否則鄭國將要衰敗。」離開鄭國後，季札到達衛國。他非常欣賞蘧瑗、史狗、史鰌、公子荊、公叔發、公子朝等，讚歎說：「衛國君子很多，因此國家無患。」從衛國到達晉國時經過戚地，季札聽到鼓鐘作樂的聲音，就說：「奇怪！我聽說有才無德，禍必加身。孫文子已經得罪過君主，本該小心翼翼。先君停殯未葬，怎麼可以尋歡作樂呢？孫文子待在這裡，就像燕子築巢於帷幕，這也太危險了。」於是繞道而去。孫文子聽說後，從此不再聽音樂。季札到晉國，欣賞趙文子、韓宣子和魏獻子，說：「晉國的政權將要落到這三家吧。」臨離開晉國時，季札對叔向說：「你要勉力而行啊！晉國國君奢侈而多良臣，大夫很富，政權將落到韓、趙、魏三家。你為人剛直，一定要思考如何避免禍患。」

【出處】

　　四年，吳使季札聘於魯，請觀周樂。為歌《周南》《召南》。曰：「美哉，始基之矣，猶未也。然勤而不怨。」歌《邶》《鄘》《衛》。曰：「美哉，淵乎，憂而不困者也。吾聞衛康叔、武公之德如是，是其《衛風》乎？」歌《王》。曰：「美哉，思而不懼，其周之東乎？」歌《鄭》。曰：「其細已甚，民不堪也，是其先亡乎？」歌《齊》。曰：「美哉，泱泱乎大風也哉。表東海者，其太公乎？國未可量也。」歌《豳》。曰：「美哉，蕩蕩乎，樂而不淫，其周公之東乎？」歌《秦》。曰：「此之謂夏聲。夫能夏則大，大之至也，其周之舊乎？」歌《魏》。曰：「美哉，渢渢乎，大而寬，儉而易，行以德輔，此則盟主

也。」歌《唐》。曰:「思深哉,其有陶唐氏之遺風乎?不然,何憂之遠也?非令德之後,誰能若是!」歌《陳》。曰:「國無主,其能久乎?」自鄶以下,無譏焉。歌《小雅》。曰:「美哉,思而不貳,怨而不言,其周德之衰乎?猶有先王之遺民也。」歌《大雅》。曰:「廣哉,熙熙乎,曲而有直體,其文王之德乎?」歌《頌》。曰:「至矣哉,直而不倨,曲而不詘,近而不偪,遠而不攜,而遷不淫,復而不厭,哀而不愁,樂而不荒,用而不匱,廣而不宣,施而不費,取而不貪,處而不底,行而不流。五聲和,八風平,節有度,守有序,盛德之所同也。」見舞《象箾》《南籥》者,曰:「美哉,猶有感。」見舞《大武》,曰:「美哉,周之盛也其若此乎?」見舞《韶濩》者,曰:「聖人之弘也,猶有慚德,聖人之難也!」見舞《大夏》,曰:「美哉,勤而不德!非禹其誰能及之?」見舞《招箾》,曰:「德至矣哉,大矣,如天之無不幬也,如地之無不載也,雖甚盛德,無以加矣。觀止矣,若有他樂,吾不敢觀。」去魯,遂使齊。說晏平仲曰:「子速納邑與政。無邑無政,乃免於難。齊國之政將有所歸;未得所歸,難未息也。」故晏子因陳桓子以納政與邑,是以免於欒高之難。去齊,使於鄭。見子產,如舊交。謂子產曰:「鄭之執政侈,難將至矣,政必及子。子為政,慎以禮。不然,鄭國將敗。」去鄭,適衛。說蘧瑗、史狗、史鰌、公子荊、公叔發、公子朝曰:「衛多君子,未有患也。」自衛如晉,將舍於宿,聞鐘聲,曰:「異哉!吾聞之,辯而不德,必加於戮。夫子獲罪於君以在此,懼猶不足,而又可以畔乎?夫子之在此,猶燕之巢於幕也。君在殯而可以樂乎?」遂去之。文子聞之,終身不聽琴瑟。適晉,說趙文子、韓宣子、魏獻子曰:「晉國其萃於三家乎!」將去,謂叔向曰:「吾子勉之!君侈而多良,

大夫皆富，政將在三家。吾子直，必思自免於難。」（《史記》〈吳太伯世家〉）

脫劍致君

　　季札出使時，北行路過徐國。徐君很喜歡季札佩戴的寶劍，嘴上沒有說什麼，但臉色透露出想要寶劍的意思。季札因為還要周遊中原各國，所以沒把寶劍送給徐君。等到出使回來，再經過徐國時，才得知徐君已經去世。於是季札解下寶劍送給徐國的新任君主。季札的隨從阻攔說：「這是吳國的寶物，不是用來作贈禮的。」季札說：「我不是送給他。前些日子我來到這裡，徐君觀賞我的寶劍，嘴裡不說，臉上的表情卻顯示他很想得到這把劍。我因為要出使中原大國，所以沒有及時獻給他。雖說如此，在我心裡已經答應他了。如今他死了，就不再把寶劍進獻給他，這是欺騙自己的良心，為吝嗇一把劍而使自己的良心虛偽，正直的人不幹這種事。」新君說：「先君沒告訴我這件事，寡人不敢接受這把劍。」於是季札把劍掛在已故徐君墳前的樹枝上離去。徐國人民嘉許季札，作歌詠唱說：「延陵季子啊不忘故舊，解下千金寶劍啊掛在墳墓。」

【出處】

　　延陵季子將西聘晉，帶寶劍以過徐君，徐君觀劍，不言而色欲之。延陵季子為有上國之使，未獻也，然其心許之矣，致使於晉，顧反，則徐君死於楚，於是脫劍致之嗣君。從者止之曰：「此吳國之

寶，非所以贈也。」延陵季子曰：「吾非贈之也，先日吾來，徐君觀吾劍，不言而其色欲之，吾為上國之使，未獻也。雖然，吾心許之矣。今死而不進，是欺心也。愛劍偽心，廉者不為也。」遂脫劍致之嗣君。嗣君曰：「先君無命，孤不敢受劍。」於是季子以劍帶徐君墓樹而去。徐人嘉而歌之曰：「延陵季子兮不忘故，脫千金之劍兮帶丘墓。」（《新序》）

延陵季子

　　吳王壽夢的正妻生有四個兒子，季札年齡最小但最賢能，兄弟們都很喜歡他。吳王死後，諸子守孝結束，長子諸樊（遏）就想把王位傳給季札，季札想學曹國的子臧離開王宮到鄉下耕種度日。諸樊說：「如果倉促地把王位傳給季札，季札一定不會接受，如果我們把王位不傳兒子只傳弟弟，最終諸侯之位一定會傳給季札。」兄弟們都表示同意。因此季札的幾個哥哥做君主時，都愛故意做危險的事，勇敢而不怕死，吃飯的時候一定禱告說：「蒼天如果保佑我們吳國，就請快快加禍於我。」因此諸樊死後餘祭繼立，餘祭死後夷昧繼立，夷昧死後，國君之位應該傳到季札。這時季札出使在外尚未回國。僚是長子諸樊的庶兄，乘機自立為王。[1]季札出使歸來，就把僚當國君侍奉。諸樊的兒子叫公子光，又叫闔閭，心中不滿說：「先君所以不傳位給兒子而傳位弟弟，都是為了季札啊。假如遵從先君的命令，那麼國家

---

1. 《吳越春秋》〈吳王壽夢傳〉說季札因推讓而逃走，放言「富貴之於我，如秋風之過耳」。吳人無奈，於是立餘昧的兒子州于，號為吳王僚。

應該傳給季札，假如不遵從先君的命令而傳位給兒子，我應當是王位的繼承人。僚怎麼配當國君呢？」於是就派勇士專諸刺殺了僚，把國家交給季札。季札說：「你殺死國君，我接受你的國家，就表示你我共同作亂了。你殺了我哥哥，我又殺你，父子兄弟互相殺戮，永遠沒個完結。」於是離開國都去到延陵，終身不回國都，所以稱作延陵季子。君子認為他不接受國君之位是義，不殺人是仁，所以《春秋》稱季札為賢者並且尊敬他。

【出處】

延陵季子者，吳王之子也，嫡同母昆弟四人，長曰遏，次曰餘祭，次曰夷昧，次曰札。札即曰季子，最小而賢，兄弟皆愛之。既除喪，將立季子，季子辭曰：「曹宣公之卒也，諸侯與曹人不義曹君，將立子臧，子臧去之，遂不為也，以成曹君，君子曰能守節義。君義嗣也，誰敢干君？有國非吾節也。札雖不才，願附臧，以無失節。」固立之，棄其室而耕，乃舍之。遏曰：「今若是迮而與季子，季子必不受，請無與子而與弟，弟兄迭為君而致諸侯乎季子。」皆曰：「諾。」故諸其為君者皆輕死為勇，飲食必祝曰：「天若有吾國，必疾有禍於身。」故遏也死，餘祭立；餘祭死，夷昧立；夷昧死，而國宜之季子也，季子使而未還。僚者，長子之庶兄也，自立為吳王，季子使而還，至則君適之。遏之子曰王子光，號曰闔閭。不悅曰：「先君所為，不與子而與弟者，凡為季子也，將從先君之命，則國宜之季子也，如不從先君之命而與子，我宜當立者也，僚惡得為君？」於是使專諸刺僚，而致國乎季子。季子曰：「爾殺吾君，吾授爾國，是吾與爾為亂也。爾殺我兄，吾又殺爾，是父子兄弟相殺，終身無已

也。」去而之延陵，終身不入吳國，故號曰延陵季子。君子以其不受國為義，以其不殺為仁，是以春秋賢季子而尊貴之也。（《新序》〈節士〉）

燕雀之智

季札說：「燕子和麻雀在屋簷下爭奪好地方築巢，母鳥哺育著幼鳥，歡樂自得，自以為很安全了。灶上的煙囪裂了，火苗竄了出來，向上燒著了屋梁，燕子和麻雀卻安然自若。為什麼呢？因為它們不知道災禍就要降臨啊。」《呂氏春秋》因此感嘆說：與這些燕雀一樣，大多數做臣子的只顧增加自己的爵祿富貴，父子兄弟結黨營私，歡樂自得，危害國家，其實他們離灶上的煙囪很近。所謂「天下大亂了，就沒有安定的國家；整個國家亂了，就沒有安定的采邑；整個采邑亂了，就沒有平安的個人」，說的就是這種情況。所以，局部的安寧仰賴於整體的穩定，整體的穩定也倚仗局部的安寧。局部和整體，貴與賤，彼此互相依賴，天下才能安寧。薄疑用成就王業的方法勸說衛嗣君，杜赫用安定天下的謀略勸說周昭文君，匡章責難惠子尊齊王為王，反覆強調的都是這個道理啊！

【出處】

季子曰：「燕雀爭善處於一室之下，子母相哺也，姁姁焉相樂也，自以為安矣。灶突決，則火上焚棟，燕雀顏色不變，是何也？乃不知禍之將及己也。」為人臣免於燕雀之智者寡矣。夫為人臣者，進

燕雀之智

其爵祿富貴，父子兄弟相與比周於一國，姁姁焉相樂也，以危其社稷。其為灶突近也，而終不知也，其與燕雀之智不異矣。故曰：「天下大亂，無有安國；一國盡亂，無有安家；一家皆亂，無有安身。」此之謂也。故小之定也必恃大，大之安也必恃小。小大貴賤，交相為恃，然後皆得其樂。定賤小在於貴大，解在乎薄疑說衛嗣君以王術，杜赫說周昭文君以安天下，及匡章之難惠子以王齊王也。（《呂氏春秋》〈有始覽・諭大〉）

采薪於道

季札從徐國回來，在路上行走，遇見一個男子，五月天穿著裘服在路邊拾柴，他身旁正好有個乞討錢幣用的器皿。季札看到，並沒多想，於是回頭對他說：「過來給你錢。」拾柴人抬起頭說：「雖然你舉止高雅，但眼光卻實在卑下！在五月天穿著裘衣拾柴，哪會是討錢的乞丐呢？」季札對自己的話感到羞愧，於是下車賠禮說：「為什麼您衣著簡陋，言談卻如此高雅呢？敢問貴姓？」拾柴人說：「我不過是個見識膚淺的人，哪裡值得告知姓名呢？」季札臉上露出慚愧之色。

【出處】

季札去徐而歸，行於道，逢男子五月被裘，采薪於道傍。有委金一器。季札見之，忽不入意，顧謂薪者曰：「來取此金。」薪者曰：「君舉止何高，視何下也！五月被裘采薪，寧是拾金者乎？」札慚於

斯言，下車禮之，曰：「何子衣之鄙而言之雅也？子姓為何？」薪者曰：「君皮相之士，何足以告姓字乎？」季札有慚色。（《太平御覽》〈人事部〉）

骨肉歸於土

　　吳國的延陵季子前往中原各國訪問，從齊國返回的時候，長子死在贏、博兩邑之間。孔子聽到這件事，說：「延陵季子是吳國熟習禮儀的人。」便派子貢前去觀看他操辦的葬禮。入殮時，死者只穿著平時的衣服，墓穴的坑挖得不深，不至於接觸到地下水，埋葬的時候也沒有什麼隨葬品。下葬以後，築起的墳頭面積恰好能封住墓坑，其高度比胳膊肘略高。墳頭築好之後，季子便袒露左臂，從右向左繞著墳頭走，哭喊了三次，然後說：「骨肉回歸土中，這是命運的安排啊。你的靈魂卻可以無所不在，無所不在！」說完就上路了。孔子評價說：「延陵季子操辦的葬禮，是十分符合禮制規定的。」

【出處】

　　吳延陵季子聘於上國，適齊，於其返也，其長子死於贏、博之間。孔子聞之，曰：「延陵季子，吳之習於禮者也。」往而觀其葬焉。其斂，以時服而已；其壙，掘坎深不至於泉；其葬，無明器之贈。既葬，其封廣輪掩坎，其高可肘隱也；既封，則季子乃左袒，右還其封，且號者三，曰：「骨肉歸於土，命也，若魂氣則無所不之，無所不之。」而遂行。孔子曰：「延陵季子之於禮，其合矣。」（《孔子家語》〈曲禮子貢問〉）

自守貞明

　　伍子胥從楚國逃奔吳國途中，在溧陽討飯時，遇上一位女子，在瀨水的岸邊浣紗，竹筐裡裝有飯食。伍子胥上前對她說：「夫人，可以給我點吃的嗎？」女子說：「我獨身和母親住在一起，年已三十尚未嫁人，我的飯不能給陌生男人吃。」伍子胥說：「夫人救濟一個身處困境的人少許飯食，又有什麼嫌疑呢？」女子知道伍子胥不是普通人，便答應了。她打開竹筐，盛上飯和湯，跪著遞給伍子胥。伍子胥吃了兩碗飯就不吃了。女子說：「您有很遠的路要走，就請飽餐一頓吧。」伍子胥吃完飯後要走，對女子說：「你把壺漿藏好，以免暴露在外面，讓人看出。」女子搖頭感嘆說：「唉！我單身與母親廝守三十年，一直以守貞潔自勉，不願嫁人。剛才送飯給陌生男人吃已經踰越禮儀，虧損婦道，我自己也不能容忍。您走吧！」伍子胥才走了幾步遠，回頭再看，那女子已經投瀨水自盡了。

【出處】

　　子胥默然，遂行至吳。疾於中道，乞食溧陽。適會女子擊綿於瀨水之上，筥中有飯。子胥遇之，謂曰：「夫人可得一餐乎？」女子曰：「妾獨與母居，三十未嫁，飯不可得。」子胥曰：「夫人賑窮途少飯，亦何嫌哉？」女子知非恆人，遂許之，發其簞筥，飯其盎漿，長跪而與之。子胥再餐而止。女子曰：「君有遠逝之行，何不飽而餐之？」子胥已餐而去，又謂女子曰：「掩夫人之壺漿，無令其露。」女子嘆曰：「嗟乎！妾獨與母居三十年，自守貞明，不願從適，何宜饋飯而與丈夫？越虧禮儀，妾不忍也。子行矣。」子胥行，反顧女

子，已自投於瀨水矣。（《吳越春秋》〈王僚使公子光傳〉）

重帷而見

　　伍子胥相貌偉岸，身高一丈，腰圍長五尺，眉間寬一尺。有個門客對公子光講起伍子胥的情況，公子光於是召見伍子胥，但是很討厭他的相貌，沒聽他講話就辭絕了他。門客問公子光為什麼這樣，公子光說：「他的相貌正是我特別討厭的。」門客把公子光的話告訴伍子胥，伍子胥說：「這很好辦。讓公子坐在堂上帷幕後面，只露出衣服和手來，請用這種方式交談。」公子光答應了。伍子胥才說到一半，公子光就掀開帷幕，緊握住他的手坐下。伍子胥說完了，公子光非常高興。

【出處】

　　伍子胥欲見吳王而不得，客有言之於王子光者，見之而惡其貌，不聽其說而辭之。客請之王子光，王子光曰：「其貌適吾所甚惡也。」客以聞伍子胥，伍子胥曰：「此易故也。願令王子居於堂上，重帷而見其衣若手，請因說之。」王子許。伍子胥說之半，王子光舉帷，搏其手而與之坐；說畢，王子光大說。（《呂氏春秋》〈孝行覽・首時〉）

嗜魚之炙

　　專諸是吳國堂邑人。伍子胥從楚國出逃前往吳國時，在路上碰見

他。當時專諸正在與別人打架，將要撲向對手時，他的怒火之盛、氣勢之猛，似乎一萬人也不可抵擋。但他的妻子一聲呼喊，他立刻就回去了。伍子胥覺得奇怪，於是詢問他當時的情形：「為什麼當時你那樣憤怒，聽見一個女人的聲音便掉頭就走呢？是有意要取悅於她嗎？」專諸說：「您看我的形象，像個愚蠢的人嗎？為什麼您把話說得那麼鄙俗呢？我雖屈身於一人之下，一定能出頭於萬人之上。」伍子胥仔細端詳他的相貌，果然是一位剛猛的勇士，於是暗中與他結交。正好公子光有弒君自立的陰謀，就把他推薦給公子光。專諸問公子光說：「為什麼不派親近的大臣從容委婉地陳述先君的命令，使他讓出王位，而非要以暗殺的方式拋棄先王的道德呢？」公子光說：「僚貪婪而自恃強力，知道做君王的好處，是絕不會退讓的。」專諸說：「凡是要殺君主，必須先找到他所喜歡的東西。吳王喜歡什麼呢？」公子光說：「喜歡美味佳餚。」專諸說：「說得更具體一些。」光說：「他喜歡吃烤魚。」專諸於是到太湖學習烤魚，三個月之後，學會了做最美味的烤魚，於是回家，安心等待公子光的命令。

【出處】

　　子胥退耕於野，求勇士薦之公子光，欲以自媚。乃得勇士專諸。專諸者，堂邑人也。子胥之亡楚如吳時，遇之於途。專諸方與人鬥，將就敵，其怒有萬人之氣，甚不可當。其妻一呼即還。子胥怪而問其狀：「何夫子之怒盛也，聞一女子之聲而折道，寧有說乎？」專諸曰：「子視吾之儀，寧類愚者也？何言之鄙也？夫屈一人之下，必伸萬人之上。」子胥因相其貌：碓顙而深目，虎膺而熊背，戾於從難。知其勇士，陰而結之，欲以為用。遭公子光之有謀也，而進之公子

光。光既得專諸而禮待之。公子光曰：「天以夫子輔孤之失根也。」專諸曰：「前王餘昧卒，僚立自其分也。公子何因而欲害之乎？」光曰：「前君壽夢有子四人：長曰諸樊，則光之父也；次曰餘祭；次曰餘昧；次曰季札。札之賢也，將卒，傳付適長，以及季札。念季札為使亡在諸侯未還，餘昧卒，國空，有立者適長也，適長之後，即光之身也。今僚何以當代立乎？吾力弱無助於掌事之間，非用有力徒能安吾志。吾雖代立，季子東還，不吾廢也。」專諸曰：「何不使近臣從容言於王側，陳前王之命，以諷其意，令知國之所歸。何須私備劍士，以捐先王之德？」光曰：「僚素貪而恃力，知進之利，不睹退讓。吾故求同憂之士，欲與之併力。惟夫子詮斯義也。」專諸曰：「君言甚露乎，於公子何意也？」光曰：「不也，此社稷之言也，小人不能奉行，惟委命矣。」專諸曰：「願公子命之。」公子光曰：「時未可也。」專諸曰：「凡欲殺人君，必前求其所好。吳王何好？」光曰：「好味。」專諸曰：「何味所甘？」光曰：「好嗜魚之炙也。」專諸乃去，從太湖學炙魚，三月得其味，安坐待公子命之。（《吳越春秋》〈王僚使公子光傳〉）

時不再來

　　西元前五一五年春季，吳國趁楚平王安葬的機會，派遣公子蓋餘、燭傭帶兵攻打楚國，派季札到晉國去觀察諸侯的反應。伍子胥和公子光覺得機會到了，就和專諸商議，準備刺殺吳王僚。公子光把身披鎧甲的武士埋伏在地下室裡，備辦了酒宴邀請吳王僚。吳王僚稟告

母親說：「公子光邀請我赴宴，該不會有什麼變亂吧？」母親說：「光的情緒怏怏不樂，常常有因羞愧而怨恨的臉色，你要小心謹慎。」吳王僚於是身穿三層鎧甲，安排手執武器的衛兵，從王宮大門一直排到公子光家的門口，台階坐席上都是吳王僚的親戚，兩旁站滿了手握長戟的衛士。酒喝到痛快的時候，公子光假裝腳痛到地下室包腳，派專諸把魚腸劍藏在烤魚中獻給吳王僚。到了吳王跟前，專諸用手擘開烤魚，接著拿匕首向前刺去，一邊侍衛的長戟已經刺到了專諸的胸膛，專諸的胸骨斷裂，胸膛刺開，但匕首卻準確地刺向王僚，穿透三層鎧甲直透脊背。吳王僚頓時死了，專諸也被一旁的侍衛殺死。公子光埋伏的披甲士兵把吳王僚的黨徒全部殲滅。於是光自立為君，這就是吳王闔閭。闔閭賜給專諸的兒子封地，任命他為客卿。季札出使回來，闔閭要把君位讓給季札。季札拒絕說：「我也只有哀悼死者、侍奉生者，等待天神和命運的安排。這不是我造成的禍亂，誰即位為君我就服從誰。」於是到王僚墓前回覆使命，痛哭一場，然後又回到原來的職位上等候闔閭的命令。公子蓋餘、燭傭率兵被楚軍包圍，聽說公子光殺死吳王僚自立為君，就率領軍隊投降楚國，楚王把他們封在舒邑。

【出處】

十三年，春，吳欲因楚葬而伐之，使公子蓋餘、燭傭以兵圍楚，使季札於晉，以觀諸侯之變。楚發兵絕吳後，吳兵不得還。於是公子光心動。伍子胥知光之見機也，乃說光曰：「今吳王伐楚，二弟將兵，未知吉凶，專諸之事於斯急矣。時不再來，不可失也。」於是公子見專諸曰：「今二弟伐楚，季子未還，當此之時，不求何獲？時不

可失。且光真王嗣也。」專諸曰：「僚可殺也，母老子弱，弟伐楚，楚絕其後。方今吳外困於楚，內無骨鯁之臣，是無如我何也。」四月，公子光伏甲士於窟室中，具酒而請王僚。僚白其母，曰：「公子光為我具酒來請，期無變悉乎？」母曰：「光心氣怏怏，常有愧恨之色，不可不慎。」王僚乃被棠鐵之甲三重，使兵衛陳於道，自宮門至於光家之門，階席左右皆王僚之親戚，使坐立侍，皆操長戟交軹。酒酣，公子光佯為足疾，入窟室裏足，使專諸置魚腸劍炙魚中進之。既至王僚前，專諸乃擘炙魚，因推匕首，立戟交軹倚專諸胸，胸斷臆開，匕首如故，以刺王僚，貫甲達背，王僚既死，左右共殺專諸，眾士擾動，公子光伏其甲士以攻僚眾，盡滅之。遂自立，是為吳王闔閭也。乃封專諸之子，拜為客卿。季札使還至吳，闔閭以位讓，季札曰：「苟前君無廢，社稷以奉，君也。吾誰怨乎？哀死待生，以俟天命。非我所亂，立者從之，是前人之道。」命哭僚墓，復位而待。公子蓋餘、燭傭二人將兵遇圍於楚者，聞公子光殺王僚自立，乃以兵降楚，楚封之於舒。（《吳越春秋》〈王僚使公子光傳〉）

天下壯士

慶忌是吳王僚的兒子。吳王闔閭殺死僚之後，因為慶忌在衛國而坐臥難安。於是伍子胥向闔閭推薦了身材矮小的刺客要離。吳王說：「慶忌有萬夫不當之勇，身材瘦小的要離怎麼能是他的對手呢？」伍子胥說：「我曾經看見他侮辱齊國壯士椒丘欣的情景。椒丘欣為齊王出使吳國，經過淮河渡口，想讓馬在渡口喝水。管理渡口的官吏阻止

他說：『河裡的水神會殺害您的馬。』椒丘欣說：『壯士在此，什麼神敢冒犯？』於是讓隨從牽馬到渡口喝水，水神果然奪走了他的馬。椒丘欣十分憤怒，脫去上衣，手持寶劍，跳入水中與水神決戰，一連打鬥了好幾天才從水中出來，喪失了一隻眼睛。他到吳國，正碰上朋友的喪事，仗著自己與水神決鬥的勇氣，對在場的士大夫十分傲慢。要離和他對面而坐，因為不能忍受他的狂妄，當場斥責他說：『我聽說勇士的戰鬥，和太陽作戰不待日暴移動，跟神鬼決鬥不轉過腳跟後退，與人作戰不發聲叫喊，即便活著前去，犧牲歸來，也不會忍受對方的侮辱。現在你與水神決鬥，不僅丟失馬和車伕，還弄瞎了眼睛，形體殘廢而號稱勇敢，恰是勇士的恥辱。不當場戰死卻貪戀生命而還，又有什麼資格值得驕傲呢？』椒丘欣遭到訓斥，憤恨交加，準備當晚就去攻擊要離。要離回到家裡，告誡妻子說：『我在宴會上當面譴責了勇士椒丘欣，天黑後他一定會來報仇，記住千萬別關上門。』到了晚上，椒丘欣果然如期而至。看見要離的家門沒關，從廳堂走進臥室，也沒有任何防守。要離披著頭髮仰面躺著，神情泰然自若。椒丘欣手持利劍揪住要離說：『你有三條該死的過錯，你知道嗎？』要離說：『不知。』椒丘欣說：『你在大庭廣眾羞辱我，這是第一條；回到家裡不關門閉戶，這是第二條；睡覺不加防備，這是第三條。你有三條該死的過錯，想必死而無怨了。』要離說：『我並無三條該死的過錯，你卻有三條不夠勇士的慚愧，你知道嗎？』椒丘欣說：『不知道。』要離說：『我當著千人之眾的面侮辱你，你不敢當場報復，這是其一；進門不敢咳嗽，登堂不敢吭聲，這是其二；先拔出劍，再用手揪住我的頭髮，才敢大聲說話，這是其三。憑此三條，你已配不上勇士稱呼，卻還要在我面前逞威，豈不是太卑鄙了嗎？』椒丘欣於

是扔開劍嘆息說:『我的勇猛從來沒有人敢輕視,要離竟然凌駕於我之上,他才是天下的壯士啊。』」吳王說:「我希望能設宴招待他。」

【出處】

　　二年,吳王前既殺王僚,又憂慶忌之在鄰國,恐合諸侯來伐。問子胥曰:「昔專諸之事,於寡人厚矣。今聞公子慶忌有計於諸侯,吾食不甘味,臥不安席,以付於子。」子胥曰:「臣不忠無行,而與大王圖王僚於私室之中,今復欲討其子,恐非皇天之意。」闔閭曰:「昔武王討紂,而後殺武庚,周人無怨色。今若斯議,何乃天乎?」子胥曰:「臣事君王,將遂吳統,又何懼焉?臣之所厚,其人者,細人也。願從於謀。」吳王曰:「吾之憂也,其敵有萬人之力,豈細人之所能謀乎?」子胥曰:「其細人之謀事,而有萬人之力也。」王曰:「其為何誰?子以言之。」子胥曰:「姓要名離。臣昔嘗見曾折辱壯士椒丘欣也。」王曰:「辱之奈何?」子胥曰:「椒丘欣者,東海上人也。為齊王使於吳,過淮津,欲飲馬於津。津吏曰:『水中有神,見馬即出,以害其馬。君勿飲也。』欣曰:『壯士所當,何神敢干?』乃使從者飲馬於津,水神果取其馬,馬沒。椒丘欣大怒,袒裼持劍入水,求神決戰。連日乃出,眇其一目。遂之吳,會於友人之喪。欣恃其與水戰之勇也,於友人之喪席而輕傲於士大夫,言辭不遜,有陵人之氣。要離與之對坐。合坐不忍其溢於力也,時要離乃挫欣曰:『吾聞勇士之鬥也,與日戰不移表,與神鬼戰者不旋踵,與人戰者不達聲。生往死還,不受其辱。今子與神鬥於水,亡馬失御,又受眇目之病,形殘名勇,勇士所恥。不即喪命於敵而戀其生,猶傲色於我哉!』於是椒丘欣卒於詰責,恨怒並發,暝即往攻要離。於是要離

席闌至舍，誡其妻曰：『我辱勇士椒丘欣於大家之喪，餘恨蔚恚，暝必來也，慎無閉吾門。』至夜，椒丘欣果往。見其門不閉，登其堂不關，入其室不守，放髮僵臥，無所懼。欣乃手劍而挫要離，曰：『子有當死之過者三，子知之乎？』離曰：『不知。』欣曰：『子辱我於大家之眾，一死也；歸不關閉，二死也；臥不守禦，三死也。子有三死之過，欲無得怨。』要離曰：『吾無三死之過，子有三不肖之愧，子知之乎？』欣曰：『不知。』要離曰：『吾辱子於千人之眾，子無敢報，一不肖也；入門不咳，登堂無聲，二不肖也；前拔子劍，手挫捽吾頭，乃敢大言，三不肖也。子有三不肖而威於我，豈不鄙哉？』於是椒丘欣投劍而嘆曰：『吾之勇也，人莫敢眥占者，離乃加吾之上，此天下壯士也。』臣聞要離若斯，誠以聞矣。」吳王曰：「願承宴而待焉。」（《吳越春秋》〈闔閭內傳〉）

寧能不死

　　伍子胥帶要離面見吳王。吳王問他說：「你是做什麼的？」要離回答說：「我的家在國都以東千里之外。我雖瘦小無力，見風而倒，但大王若有命令，我怎敢不竭盡全力。」吳王心裡責怪伍子胥推薦的人不得當，一時沉默不語。這時要離走上前說：「大王是擔憂慶忌吧？我能殺死他。」吳王說：「慶忌的勇猛天下聞名。他的勇力，上萬人也不能抵擋。他奔跑起來，能追上飛奔的野獸，抓住空中的飛鳥，跳躍騰翔，一拍腿就能跑數百里。我曾經追他到江邊，乘四匹馬拉的車子也沒趕上。彎弓射他，他竟然伸手接住飛箭擲還。你的

力量哪比得上他啊。」要離堅持說：「只要大王用我，我一定能殺死他。」吳王說：「慶忌還非常聰敏。雖然因為困厄投奔衛國，但並未謙卑地去奉承各國賢士。」要離說：「我聽說：『沉溺於妻子兒女的歡樂，而不能盡侍奉君主的義務，是不忠；貪圖家庭的溫暖，而不能為君主消除禍患，是不義。』我假裝負罪出逃，請大王殺死我的妻子兒女，砍斷臣的右手，慶忌一定會相信我的。」吳王說：「好。」於是要離假裝獲罪出逃，吳王抓來他的妻子兒女，將其在鬧市燒死，並揚棄他們的骨灰。要離在諸侯各國散佈怨言，讓天下人都知道他是無罪的。最後來到衛國求見慶忌，對慶忌說：「闔閭暴虐無道，而我瞭解吳國的內情，不如我們潛回吳國，憑藉王子的勇力擒獲闔閭。」慶忌聽從要離的計謀，三個月後，親率一批訓練有素的勇士動身前往吳國。渡船到達江中的時候，要離因為力氣小，便坐在上風的位置，藉助風力用矛鉤住慶忌的帽子，順風直刺慶忌。慶忌回過頭來甩掉矛，揪住要離的頭多次按進水裡，又提起來放在膝蓋上說：「你真是天下罕見的勇士啊，竟敢對我行刺！」左右的侍從要殺掉要離，慶忌阻止他們說：「怎麼能在一天之內殺掉兩個勇士呢？」於是告誡侍從說：「讓他返回吳國，去彰顯他的忠誠吧。」慶忌因失血過多而死。要離乘船到達江陵後，神情憂傷不肯繼續前行。隨行的人說：「為什麼不走呢？」要離說：「殺死自己的妻子兒女來侍奉君主，這是不仁；為了新君而殺害舊君的兒子，這是不義；貪戀活命而毀棄善行，不合道義。有這三種惡行，我還有什麼臉面去見天下的士人呢？」說完，就縱身跳入江中。隨從奮力把他救上來。要離說：「我怎能不死呢？」隨從說：「請您暫且不要死，吳王一定會賞給你爵位俸祿的。」要離斬斷自己的手腳，伏劍自殺。

【出處】

　　子胥乃見要離曰：「吳王聞子高義，唯一臨之。」乃與子胥見吳王。王曰：「子何為者？」要離曰：「臣國東千里之人，臣細小無力，迎風則僵，負風則伏。大王有命，臣敢不儘力？」吳王心非子胥進此人，良久默然不言。要離即進曰：「大王患慶忌乎？臣能殺之。」王曰：「慶忌之勇，世所聞也。筋骨果勁，萬人莫當。走追奔獸，手接飛鳥，骨騰肉飛，拊膝數百里。吾嘗追之於江，駟馬馳不及，射之暗接，矢不可中。今子之力不如也。」要離曰：「王有意焉，臣能殺之。」王曰：「慶忌明智之人，歸窮於諸侯，不下諸侯之士。」要離曰：「臣聞安其妻子之樂，不盡事君之義，非忠也；懷家室之愛，而不除君之患者，非義也。臣詐以負罪出奔，願王戮臣妻子，斷臣右手，慶忌必信臣矣。」王曰：「諾。」要離乃詐得罪出奔，吳王乃取其妻子，焚棄於市。要離乃奔諸侯而行怨言，以無罪聞於天下。遂如衛，求見慶忌。見曰：「闔閭無道，王子所知。今戮吾妻子，焚之於市，無罪見誅。吳國之事，吾知其情，願因王子之勇，闔閭可得也。何不與我東之於吳？」慶忌信其謀。後三月，揀練士卒，遂之吳。將渡江於中流，要離力微，坐與上風，因風勢以矛鉤其冠，順風而刺慶忌，慶忌顧而揮之，三捽其頭於水中，乃加於膝上，「嘻嘻哉！天下之勇士也！乃敢加兵刃於我。」左右欲殺之，慶忌止之，曰：「此是天下勇士。豈可一日而殺天下勇士二人哉？」乃誡左右曰：「可令還吳，以旌其忠。」於是慶忌死。要離渡至江陵，愍然不行。從者曰：「君何不行？」要離曰：「殺吾妻子，以事吾君，非仁也；為新君而殺故君之子，非義也。重其死，不貴無義。今吾貪生棄行，非義也。

夫人有三惡以立於世，吾何面目以視天下之士？」言訖遂投身於江，未絕，從者出之。要離曰：「吾寧能不死乎？」從者曰：「君且勿死，以俟爵祿。」要離乃自斷手足，伏劍而死。（《吳越春秋》〈闔閭內傳〉）

豫且之患

　　吳王想請百姓一起飲酒，伍子胥勸諫說：「不能這樣。從前白龍從天上下到清冷的池子裡，變成魚，漁夫豫且射中了它的眼睛。白龍向天帝告狀，天帝問：『在這個時候，你待在什麼地方？是什麼樣子？』白龍回答說：『我下到清冷的池中，變成了魚。』天帝說：『魚被漁夫所射是理所當然的，豫且有什麼罪過呢？』那白龍是天帝豢養的珍貴動物，豫且是宋國身分低賤的奴隸，白龍不變成魚，漁夫就不敢射它。現在君王放棄國君的地位，而跟平民百姓一起飲酒，我擔心會有白龍被豫且射中的禍患。」吳王於是放棄了之前的想法。

【出處】

　　吳王欲從民飲酒，伍子胥諫曰：「不可。昔白龍下清冷之淵，化為魚，漁者豫且射中其目，白龍上訴天帝，天帝曰：『當是之時，若安置而形？』白龍對曰：『我下清冷之淵化為魚。』天帝曰：『魚固人之所射也；若是，豫且何罪？』夫白龍，天帝貴畜也；豫且，宋國賤臣也。白龍不化，豫且不射；今棄萬乘之位而從布衣之士飲酒，臣恐其有豫且之患矣。」王乃止。（《說苑》〈正諫〉）

挺進郢都

吳王闔閭率領吳軍在柏舉戰勝楚軍，一直挺進到楚國郢都郊外，五次打敗楚軍。闔閭手下有五名臣子進諫，說：「深入敵國報仇，恐怕對大王不利，大王請返回吧！」五名臣子想以死相諫，闔閭還未回應，五人的頭顱已墜落馬前。闔閭害怕了，召見伍子胥徵詢意見。伍子胥說：「五位大臣是害怕了。但五次吃了敗仗的人會怕得更厲害。大王可以繼續挺進。」於是吳軍進入郢都。一時南至長江，北至方城，方圓三千里以內都歸服吳國。

【出處】

吳王闔廬與荊人戰於柏舉，大勝之，至於郢郊，五敗荊人。闔廬之臣五人進諫曰：「夫深入遠報，非王之利也，王其返乎！」五將鍥頭，闔廬未之應，五人之頭墜於馬前。闔廬懼，召伍子胥而問焉。子胥曰：「五臣者懼也。夫五敗之人者，其懼甚矣，王姑少進。」遂入郢，南至江，北至方城，方三千里，皆服於楚矣。（《說苑》〈指武〉）

三令五申

孫武是吳國人，他擅長兵法，卻避世隱居，世人不知道他的才能。識才的伍子胥多次向吳王推薦孫武。於是吳王便召見孫武，向他探問兵法。孫子每陳述一篇兵法，吳王便情不自禁地叫好。吳王非常高興，問他說：「可以小範圍演練一下嗎？」孫子說：「可以借用後

挺進郢都

宮的宮女稍微試驗一下。」吳王說：「好。」孫子說：「請大王以寵妃二人充任隊長，各帶一隊。」於是孫子集合了三百名宮女，讓她們披上鎧甲、戴上頭盔，手執劍、盾排隊站好，而後向她們講授陣法，讓她們隨著鼓聲前進後退、左右旋轉，同時申明了操練時的紀律。接著下令說：「敲第一遍鼓，全體振作；敲第二遍鼓，手持前進；敲第三遍鼓，擺出作戰陣勢。」聽到這些，宮女們都搗著嘴笑。孫子於是親自手執鼓槌，再三叮囑說明，軍隊應當嚴肅紀律。宮女們仍然嬉笑如故。孫子十分惱怒，雙眼圓睜，厲聲對執法官說：「拿斧頭和鐵砧來。」孫子說：「禁令不明，號令不準，是將官的罪過。我已經明確下達禁令，並且三令五申，士兵仍不執行，這是隊長的罪過。按軍法該如何處置？」執法官說：「斬首。」孫武於是下令將兩名隊長斬首。吳王在高臺觀看，看見要殺死兩位愛妃，急忙派使者下去求情說：「我已經知道將軍能用兵了。如果沒有這兩位妃子，我吃飯都沒有滋味，請千萬不要殺她們。」孫子說：「我既已受命為將軍，在軍中的法令就必須執行，即便君主有令，也可以不接受。」孫子斬殺了兩名愛妃，整肅隊伍，重新擂鼓，宮女們向左向右、前進後退、轉身打圈，無不規規矩矩，連眼睛也不敢眨一下。兩隊宮女蕭靜無聲，沒有誰敢回頭張望。於是孫子去向吳王報告說：「軍隊已經操練整齊，請大王檢閱。現在聽憑大王使用，即便讓她們赴湯蹈火，也不會有困難了。」吳王悶悶不樂說：「我知道您善於用兵了，雖然可以靠它來稱霸，但是眼下也派不上用場。請將軍解散隊伍回客舍休息吧，我不想再檢閱她們了。」孫子說：「大王只是喜歡我的理論罷了，並不願意付諸實施。」

【出處】

　　孫子者，名武，吳人也，善為兵法。辟隱深居，世人莫知其能。胥乃明知鑑辯，知孫子可以折衝銷敵，乃一旦與吳王論兵，七薦孫子。吳王曰：「子胥託言進士，欲以自納。」而召孫子，問以兵法，每陳一篇，王不知口之稱善。其意大悅。問曰：「兵法寧可以小試耶？」孫子曰：「可，可以小試於後宮之女。」王曰：「諾。」孫子曰：「得大王寵姬二人以為軍隊長，各將一隊。」令三百人皆被甲兜鍪，操劍盾而立，告以軍法，隨鼓進退，左右迴旋，使知其禁。乃令曰：「一鼓皆振，二鼓操進，三鼓為戰形。」於是宮女皆掩口而笑。孫子乃親自操枹擊鼓，三令五申，其笑如故。孫子顧視諸女，連笑不止。孫子大怒，兩目忽張，聲如駭虎，髮上衝冠，項旁絕纓。顧謂執法曰：「取鈇鑕。」孫子曰：「約束不明，申令不信，將之罪也。既以約束，三令五申，卒不卻行，士之過也。軍法如何？」執法曰：「斬！」武乃令斬隊長二人，即吳王之寵姬也。吳王登臺觀望，正見斬二愛姬，馳使下之令曰：「寡人已知將軍用兵矣。寡人非此二姬食不甘味，宜勿斬之。」孫子曰：「臣既已受命為將，將法在軍，君雖有令，臣不受之。」孫子復揳鼓之，當左右進退，迴旋規矩，不敢瞬目，二隊寂然無敢顧者。於是乃報吳王，曰：「兵已整齊，願王觀之，惟所欲用，使赴水火猶無難矣，而可以定天下。」吳王忽然不悅，曰：「寡人知子善用兵，雖可以霸，然而無所施也。將軍罷兵就舍，寡人不願。」孫子曰：「王徒好其言，而不用其實。」（《吳越春秋》〈闔閭內傳〉）

干將莫邪

　　干將是吳國人，和歐冶子同出師門，兩人都擅長鑄劍。越國向吳國進獻了三把寶劍，闔閭視為至寶，於是也讓干將鑄造兩把寶劍。干將鑄劍，採集五嶽名山的精鐵和天地四方的精銅，然後觀察天地氣象的變化，等到日月同輝，群神俯視觀看，大自然的元氣隨之降臨，爐中的精銅精鐵卻不能適時熔化。干將不知何故，他的妻子莫邪說：「要使物銷鎔化合，必須有人的催助才能完成，鑄劍只怕也是此理。」干將說：「從前我師傅也遇到這種情景，夫妻倆一起跳進爐中，然後才鑄成寶器。直到今天，他的後代每到山中冶煉，就要披麻戴孝祭奠，而後才正式作業。今天我們遇見的也是這種情境嗎？」莫邪說：「先師熔化自己的身體來鑄成寶物，我有什麼好猶豫的呢？」於是莫邪剪斷頭髮、剪乾淨指甲之後投身爐中。干將讓三百個童女童男鼓風裝炭，銅鐵終於熔化，干將隨後鑄成了陰陽二劍。陽劍取名干將，刻上龜背的紋理；陰劍取名莫邪，刻上漫無規則的紋理。干將藏起陽劍，將陰劍獻給闔閭。正巧魯國季孫氏到吳國訪問，闔閭讓掌管寶劍的大夫把莫邪劍獻給他。季孫氏拔出劍來仔細觀察，發現劍刃旁邊的紋理處有顆米粒大的缺口，於是感嘆說：「這真是一把好劍！中原各國的鑄劍大師，沒有誰的鑄造水平能超過它。能鑄成這樣的寶劍，表明吳國必將成就霸業；但劍上有缺口，則又是亡國的徵兆。我雖然喜歡它，又怎麼可以接受呢？」他沒有接受寶劍就離去了。

【出處】

　　城郭以成，倉庫以具，闔閭復使子胥、屈蓋餘、燭傭習術戰騎射

御之巧。未有所用,請干將鑄作名劍二枚。干將者,吳人也,與歐冶子同師,俱能為劍。越前來獻三枚,闔閭得而寶之,以故使劍匠作為二枚:一曰干將,二曰莫耶。莫耶,干將之妻也。干將作劍,采五山之鐵精,六合之金英。候天伺地,陰陽同光,百神臨觀,天氣下降,而金鐵之精不銷淪流,於是干將不知其由。莫耶曰:「子以善為劍聞於王,使子作劍,三月不成,其有意乎?」干將曰:「吾不知其理也。」莫耶曰:「夫神物之化,須人而成,今夫子作劍,得無得其人而後成乎?」干將曰:「昔吾師作冶,金鐵之類不銷,夫妻俱入冶爐中,然後成物。至今後世,即山作冶,麻絰葌服,然後敢鑄金於山。今吾作劍不變化者,其若斯耶?」莫耶曰:「師知爍身以成物,吾何難哉?」於是干將妻乃斷髮剪爪,投於爐中,使童女童男三百人鼓橐裝炭,金鐵乃濡,遂以成劍。陽曰干將,陰曰莫耶,陽作龜文,陰作漫理。干將匿其陽,出其陰而獻之。闔閭甚重。既得寶劍,適會魯使季孫聘於吳,闔閭使掌劍大夫以莫耶獻之。季孫拔,劍之鍔中缺者大如黍米。嘆曰:「美哉,劍也!雖上國之師,何能加之!夫劍之成也,吳霸;有缺,則亡矣。我雖好之,其可受乎?」不受而去。(《吳越春秋》〈闔閭內傳〉)

吳鴻扈稽

闔閭得到寶劍後,又懸賞國人鑄造金鉤,說:「能造出好鉤者,獎賞百金。」一時造鉤的人很多,有個人貪圖重賞,竟然殺死自己的兩個兒子,將他們的血溶入金屬,造成了兩把金鉤。這人到王宮求取獎賞。吳王說:「製作金鉤的人很多,唯獨你主動來請求獎賞。你

造的鉤和他人的鉤有什麼不同呢？」這人說：「我因為貪圖大王的獎賞而殺死了兩個兒子，以他們的血鑄成了金鉤。」吳王拿出所有的鉤給他看：「哪兩把鉤是你造的？」吳王收到的鉤很多，形狀相似，這人也不知道他造的兩隻鉤在哪裡，於是對著鉤呼喚兩個兒子的名字說：「吳鴻、扈稽，我在這裡，大王還不知道你們的靈通呢。」話聲剛落，就有兩把金鉤飛到這人的跟前。吳王十分驚奇說：「啊呀！我真辜負你了。」於是獎賞他一百金，從此佩上這兩把金鉤，一直不離身。

【出處】

闔閭既寶莫耶，覆命於國中作金鉤。令曰：「能為善鉤者，賞之百金。」吳作鉤者甚眾。而有人貪王之重賞也，殺其二子，以血釁金，遂成二鉤，獻於闔閭，詣宮門而求賞。王曰：「為鉤者眾而子獨求賞，何以異於眾夫子之鉤乎？」作鉤者曰：「吾之作鉤也，貪而殺二子，釁成二鉤。」王乃舉眾鉤以示之：「何者是也？」王鉤甚多，形體相類，不知其所在。於是鉤師向鉤而呼二子之名：「吳鴻、扈稽，我在於此，王不知汝之神也。」聲絕於口，兩鉤俱飛著父之胸。吳王大驚，曰：「嗟乎！寡人誠負於子。」乃賞百金。遂服而不離身。（《吳越春秋》〈闔閭內傳〉）

同病相憐，同憂相救

伯嚭（白喜）是楚國人伯州犁的孫子、郤宛的兒子。郤宛被楚國

令尹囊瓦殺害，伯嚭被迫逃難到吳國。吳王準備用兵時，遇上伯嚭投奔吳國。伍子胥向吳王闔閭介紹了伯嚭的情況，吳王憐憫他，讓他做了大夫，和他一起謀劃國家大事。吳國大夫被離問伍子胥說：「為什麼您一見面就信任伯嚭呢？」伍子胥說：「因為我的怨恨與他相同。您沒聽見過《河上歌》嗎？『同病的人啊相互憐憫，同憂的人啊互相搭救；受驚的飛鳥啊追隨棲集，瀨下的河水啊旋轉東流。』胡馬望北而立，越燕向東嬉戲。誰不喜愛與自己命運相近的人，誰不悲憫自己思念的人呢？」被離說：「您說的只是外在的表面現象，有什麼辦法能深入人的內心世界呢？」伍子胥說：「我做不到。」被離說：「我觀察伯嚭的為人，他目光似鷹，步履似虎，表現出獨攬功名、擅殺生靈的性格。這樣的人不可以和他親近啊。」伍子胥對被離的話不以為然，仍然和伯嚭一起侍奉吳王。

【出處】

六月，欲用兵，會楚之白喜來奔。……闔閭傷之，以為大夫，與謀國事。吳大夫被離承宴問子胥曰：「何見而信喜？」子胥曰：「吾之怨與喜同。子不聞《河上歌》乎？『同病相憐，同憂相救。驚翔之鳥，相隨而集；瀨下之水，因復俱流。』胡馬望北風而立，越燕向日而熙。誰不愛其所近，悲其所思者乎？」被離曰：「君之言外也，豈有內意以決疑乎？」子胥曰：「吾不見也。」被離曰：「吾觀喜之為人，鷹視虎步，專功擅殺之性，不可親也。」子胥不然其言，與之俱事吳王。（《吳越春秋》〈闔閭內傳〉）

楚師大亂

　　闔閭九年（前506），吳王對伍子胥和孫武說：「我想再次攻打楚國，怎樣才能獲得成功呢？」二人回答說：「令尹囊瓦（子常）非常貪婪，多次得罪諸侯，唐、蔡兩國都怨恨他。大王要攻打楚國，一定要得到唐、蔡兩國的支持。」吳王於是派使者對唐、蔡兩國國君說：「楚王暴虐無道，殘害忠良，侵略別國，拘禁侮辱兩位君主。我想起兵討伐楚國，希望二位國君一起出謀劃策。」蔡昭侯於是把兒子姬乾送到吳國作人質。吳、蔡、唐三國合謀攻打楚國，從小別山到大別山，三次打敗囊瓦率領的楚軍。囊瓦自知無法抵擋，想要逃跑。史皇對囊瓦說：「你和楚王無緣無故殺死了三個忠臣，現在天災降臨，實在是楚王招致的。」囊瓦無言以對。接下來，雙方在柏舉擺下戰陣。闔閭的弟弟夫概清晨起床後向闔閭請求說：「囊瓦暴虐，貪婪寡恩，他的部下都沒有效死的決心，如現在派兵追擊，一定可以擊潰他們。」闔閭不同意。夫概說：「所謂『臣子按照自己的意志行事，而不必等待君主的命令』，大概就是說的這種情況吧。」於是率領自己的五千部眾突襲囊瓦。囊瓦大敗，棄軍逃往鄭國。吳軍乘勢追擊，連勝五仗，直達郢都。

【出處】

　　九年，吳王謂子胥、孫武曰：「始子言郢不可入，今果何如？」二將曰：「夫戰，借勝以成其威，非常勝之道。」吳王曰：「何謂也？」二將曰：「楚之為兵，天下強敵也。今臣與之爭鋒，十亡一

存，而王入郢者，天也，臣不敢必。」吳王曰：「吾欲復擊楚，奈何而有功？」伍胥、孫武曰：「囊瓦者，貪而多過於諸侯，而唐、蔡怨之。王必伐，得唐、蔡，何怨？」二將曰：「昔蔡昭公朝於楚，有美裘二枚，善佩二枚，各以一枚獻之昭王。王服之以臨朝。昭公自服一枚。子常欲之，昭公不與，子常三年留之，不使歸國。唐成公朝楚，有二文馬，子常欲之，公不與，亦三年止之。唐成相與謀從成公從者，請馬以贖成公，飲從者酒，醉之，竊馬而獻子常，常乃遣成公歸國。群臣誹謗曰：『君以一馬之故，三年自囚，願賞竊馬之功。』於是成公常思報楚，君臣未嘗絕口。蔡人聞之，固請獻裘佩於子常，蔡侯得歸。如晉告訴，以子元與太子質而請伐楚。故曰得唐、蔡而可伐楚。」吳王於是使使謂唐、蔡曰：「楚為無道，虐殺忠良，侵食諸侯，困辱二君，寡人欲舉兵伐楚，願二君有謀。」唐侯使其子乾為質於吳，三國合謀伐楚。舍兵於淮汭，自豫章與楚夾漢水為陣。子常遂濟漢而陣，自小別山至於大別山。三不利，自知不可進，欲奔亡。史皇曰：「今子常無故與王共殺忠臣三人，天禍來下，王之所致。」子常不應。十月，楚二師陣於柏舉。闔閭之弟夫概晨起請於闔閭曰：「子常不仁，貪而少恩，其臣下莫有死志，追之，必破矣。闔閭不許。夫概曰：「所謂臣行其志，不待命者，其謂此也。」遂以其部五千人擊子常。大敗走，奔鄭，楚師大亂，吳師乘之，遂破楚眾。楚人未濟漢，會楚人食，吳因奔而擊破之雍滯。五戰，逕至於郢。（《吳越春秋》〈闔閭內傳〉）

鞭之三百

吳王進入郢都，滯留在楚宮。伍子胥因為沒有擒獲楚昭王，就掘開楚平王的墳墓，挖出平王的屍體，鞭打三百。又用左腳踩他的腹部，右手挖出他的眼睛，厲聲譴責說：「誰叫你聽信阿諛讒言殺死我的父兄？冤深似海啊！」於是讓闔閭姦淫昭王的夫人，伍子胥、孫武、伯嚭也姦淫囊瓦、司馬成等人的妻子，以此來侮辱楚國君臣。

【出處】

吳王入郢，止留。伍胥以不得昭王，乃掘平王之墓，出其屍，鞭之三百，左足踐腹，右手抉其目，誚之曰：「誰使汝用讒諛之口，殺我父兄，豈不冤哉？」即令闔閭妻昭王夫人，伍胥、孫武、白喜亦妻子常、司馬成之妻，以辱楚之君臣也。（《吳越春秋》〈闔閭內傳〉）

扣橈而歌

擊敗楚軍之後，伍子胥又率領軍隊攻打鄭國。當年鄭定公殺害楚太子建，使伍子胥身陷困境，所以伍子胥怨恨鄭國。吳軍即將進入鄭國，鄭獻公十分恐懼，在全國發布命令說：「有誰能使吳國退兵，我情願和他分國而治。」溧水漁父的兒子前來應募說：「我能使吳國退兵，且不用一兵一卒，只需一把船槳，迎著吳兵邊走邊唱，吳軍就會撤退。」鄭獻公於是給他一片船槳。漁父的兒子迎著吳國的軍隊走去，一路敲著船槳唱道：「蘆中人啊，蘆中人啊！」伍子胥聽到聲

音，大為驚愕，立即上前詢問他說：「您是誰啊？」回答說：「我是漁父的兒子。我的國君十分恐懼，向國內發布命令說：『有誰能退去吳軍，情願和他分國而治。』想起先父與您曾有一面之交，所以來向您乞求保全鄭國。」伍子胥感嘆地說：「可悲啊！我蒙受您父親的恩惠，才有了今天。蒼天在上，我豈敢忘恩負義？」於是放棄進攻鄭國。

【出處】

遂引軍擊鄭，鄭定公前殺太子建而困迫子胥。自此，鄭定公大懼，乃令國中曰：「有能還吳軍者，吾與分國而治。」漁者之子應募曰：「臣能還之。不用尺兵斗糧，得一橈而行歌道中，即還矣。」公乃與漁者之子橈。子胥軍將至，當道扣橈而歌曰：「蘆中人。」如是再。子胥聞之，愕然大驚，曰：「何等謂與語，公為何誰矣？」曰：「漁父者子。吾國君懼怖，令於國：有能還吳軍者，與之分國而治。臣念前人與君相逢於途，今從君乞鄭之國。」子胥嘆曰：「悲哉！吾蒙子前人之恩，自至於此。上天蒼蒼，豈敢忘也？」於是乃釋鄭國，還軍守楚，求昭王所在日急。（《吳越春秋》〈闔閭內傳〉）

死如有知

伍子胥、孫武、伯嚭在淮澨打敗楚軍。接著增援的秦軍又打敗吳軍。楚國的子期打算乘勢火燒吳軍。子西說：「我國的父老兄弟投身戰場，暴骨荒野，尚未收屍，又放火焚燒他們，這怎麼行呢？」子期

說：「國家滅亡，百姓流離。這是以葬送生者的辦法回報死者。死者有知，一定會憑藉火勢，起來幫助我們；死者無知，又何必顧忌荒野中的屍骨而放棄火攻吳軍呢？」於是放火進攻吳軍，吳軍大敗。伍子胥對孫武等人說：「楚國偶然得勝一次，並沒有重創我軍啊。」孫武說：「我們向西攻破楚國，趕跑了楚昭王，鞭屍楚平王，也已足夠了。」伍子胥說：「自從諸侯爭霸以來，還沒有誰能像這樣報仇的。我們可以撤軍回國啦！」

【出處】

　　子胥、孫武、伯嚭留，與楚師於淮澨，秦師又敗吳師。楚子期將焚吳軍，子西曰：「吾國父兄身戰，暴骨草野焉，不收又焚之，其可乎？」子期曰：「亡國失眾，存沒所在，又何殺生以愛死？死如有知，必將乘煙起而助我；如其無知，何惜草中之骨而亡吳國？」遂焚而戰，吳師大敗。子胥等相謂曰：「彼楚雖敗我餘兵未有所損我者。」孫武曰：「吾以吳干戈西破楚，逐昭王而屠荊平王墓，割戮其屍，亦已足矣。」子胥曰：「自霸王以來，未有人臣報仇如此者也。行，去矣！」（《吳越春秋》〈闔閭內傳〉）

吳人作鱠

　　伍子胥從楚國班師回吳。吳王得知三軍歸來的消息，親自下廚剖魚製作魚鱠，準備伍子胥到達時享用。結果到達的時間晚了，魚片發臭了。伍子胥到了吳宮，闔閭端出魚鱠來慰勞他，伍子胥並未感覺到

有臭味。吳王又重新做了新鮮的魚鱠，味道非常鮮美。吳國人做生魚片，就是從闔閭的時候開始的。

【出處】

子胥歸吳，吳王聞三師將至，治魚為鱠，將到之日，過時不至，魚臭。須臾子胥至，闔閭出鱠而食，不知其臭，王復重為之，其味如故。吳人作鱠者，自闔閭之造也。（《吳越春秋》〈闔閭內傳〉）

取金而歸

伍子胥班師回國，經過溧陽瀨水岸邊，觸景生情，嘆息說：「當年我因為飢餓，曾經向一個女子討飯。那女子拿飯給我吃，隨後就投水自盡了。我想拿一百兩金報答她，卻不知道她家在哪裡。」於是把黃金投入溧水轉身離去。過了一會兒，一位老婦人一路哭著走來。有人問她說：「為什麼哭得這樣傷心呢？」老婦人說：「我有個女兒，守節獨居三十年不嫁。前些年她在這條江邊浣紗，遇到一位窮途困迫的先生，就拿飯給他吃。後來怕事情洩露，就跳到瀨水裡自殺了。現在聽說當年的伍先生來了，但沒有得到他的報償。我傷心女兒白死了，所以悲傷。」人們告訴她說：「伍子胥想以一百兩金報答，因為不知道女子家在哪裡，就把黃金投入水中走了。」老婦人於是從水中取出黃金回家了。

　　子胥等過溧陽瀨水之上，乃長太息曰：「吾嘗飢於此，乞食於一女子，女子飼我，遂投水而亡。將欲報以百金，而不知其家。」乃投金水中而去。有頃，一老嫗行哭而來，人問曰：「何哭之悲？」嫗曰：「吾有女子，守居三十不嫁。往年擊綿於此，遇一窮途君子而輒飯之，而恐事洩，自投於瀨水。今聞伍君來，不得其償，自傷虛死，是故悲耳。」人曰：「子胥欲報百金，不知其家，投金水中而去矣。」嫗遂取金而歸。（《吳越春秋》〈闔閭內傳〉）

殺生以送死

　　吳王有個女兒叫滕玉。一次，吳王與夫人及女兒一起吃蒸魚，吳王腦子裡想著伐楚的事，將吃了一半的魚遞給女兒吃。女兒惱怒說：「父王將吃剩的魚給我，這是侮辱我，我不能忍氣吞聲活下去。」於是自殺了。闔閭非常悲痛，將她埋葬於國都西面的閶門之外，以豐盛的禮物厚葬，包括黃金做的鼎、寶玉做的杯子、白銀製作的酒器、珍珠鑲飾的短襖之類。又在鬧市中舞弄白鶴，讓成千上萬的民眾跟隨觀看，等跟隨觀看的男男女女隨白鶴一起進入墓門，便觸發機關，將其掩閉於墓室之內。吳王因殺活人為女兒殉葬，遭到國人的非議。

【出處】

　　吳王有女滕玉，因謀伐楚，與夫人及女會蒸魚，王前嘗半而與女，女怒曰：「王食魚辱我，不忘久生。」乃自殺。闔閭痛之，葬於

國西閶門外。鑿池積土,文石為槨,題湊為中,金鼎玉杯、銀樽珠襦之寶,皆以送女。乃舞白鶴於吳市中,令萬民隨而觀之,還使男女與鶴俱入羨門,因發機以掩之。殺生以送死,國人非之。(《吳越春秋》〈闔閭內傳〉)

身遠心近,何當暫忘

　　吳王夫差的小女兒名叫紫玉,十八歲,才華與美貌兼備。有個少年韓重,十九歲,有道術,紫玉很喜歡他,私下裡與他通信交往,心許做他的妻子。韓重要到齊魯一帶求學,臨走時請父母代為求婚。吳王大怒,堅決不同意這門婚事。紫玉因此鬱悶而死,被葬在閶門之外。三年後韓重回到家鄉,向父母詢問情況,父母說:「吳王非常生氣,紫玉也憂鬱而死,已經下葬了。」韓重痛哭流涕,十分悲哀,準備了祭品禮物去紫玉墓前悼念她。紫玉的靈魂從墳墓裡走出來,哭泣著對韓重說:「當初你離開後,讓父母向我父親求婚,我料想一定能成全我們的心願,沒想到遭此厄運,有什麼辦法呢!」於是紫玉轉身唱道:「南山有鳥,北山張羅;鳥既高飛,羅將奈何!意欲從君,讒言孔多。悲結生疾,沒命黃墟。命之不造,冤如之何!羽族之長,名為鳳凰;一日失雄,三年感傷;雖有眾鳥,不為匹雙。故見鄙姿,逢君輝光。身遠心近,何當暫忘。」唱完後淚流滿面,並請求韓重陪她回到墳墓中。韓重說:「死人和活人在兩個世界,我怕鑄成過錯,不敢接受你的邀請。」紫玉說:「我也知道死人和活人不能在一起;但是今日分別以後,我們就再也不能相見了。你是怕我變成鬼之後會加

害你嗎？我是誠心誠意的，你應該相信我。」韓重被她的話感動了，就把她送回墳墓。紫玉置辦酒宴款待他，留宿了三天三夜，盡了夫婦間的禮節。韓重將要離去時，她取出一顆直徑一寸大的明珠送給他說：「我的名節已毀，願望也沒法實現了，還有什麼好說的呢！請你自愛自重吧。如果到了我家，代我向父王表達敬意。」韓重走出墓地，就去拜見吳王，講述了發生的事情。吳王大怒說：「我女兒已經死了，你還要造謠生事，玷污她的亡靈，這顆明珠是從墓中盜取的，你只是假借鬼神的名義而已。」於是下令把韓重抓起來。韓重逃跑出來，到紫玉墓前將事情告訴她。紫玉說：「不要擔心。我現在就去跟大王講。」吳王正在梳妝的時候，忽然看見紫玉在身邊顯靈，驚喜參半說：「你為什麼又活過來了？」紫玉跪著說：「以前書生韓重來求婚，父王不允許，所以紫玉名節盡毀、恩斷義絕而死。韓重從遠方他鄉回來，聽說我的死訊，專門到我墳前悼念我，我為他的忠厚感動，才決定與他相見。明珠是我送的，並不是盜墓所得。請父王不要治他的罪。」吳王夫人聽到紫玉的聲音，走出來想擁抱她，紫玉化作一縷青煙消散了。

【出處】

　　吳王夫差，小女，名曰紫玉，年十八，才貌俱美。童子韓重，年十九，有道術，女悅之，私交信問，許為之妻。重學於齊魯之間，臨去，屬其父母使求婚。王怒，不與。女玉結氣死，葬閭門之外。三年，重歸，詰其父母；父母曰：「王大怒，玉結氣死，已葬矣。」重哭泣哀慟，具牲幣往弔於墓前。玉魂從墓出，見重流涕，謂曰：「昔爾行之後，令二親從王相求，度必克從大願；不圖別後遭命，奈

何！」玉乃左顧，宛頸而歌曰：「南山有鳥，北山張羅；鳥既高飛，羅將奈何！意欲從君，讒言孔多。悲結生疾，沒命黃壚。命之不造，冤如之何！羽族之長，名為鳳凰；一日失雄，三年感傷；雖有眾鳥，不為匹雙。故見鄙姿，逢君輝光。身遠心近，何當暫忘。」歌畢，歔欷流涕，要重還冢。重曰：「死生異路，懼有尤愆，不敢承命。」玉曰：「死生異路，吾亦知之；然今一別，永無後期。子將畏我為鬼而禍子乎？欲誠所奉，寧不相信。」重感其言，送之還冢。玉與之飲燕，留三日三夜，盡夫婦之禮。臨出，取徑寸明珠以送重曰：「既毀其名，又絕其願，復何言哉！時節自愛。若至吾家，致敬大王。」重既出，遂詣王自說其事。王大怒曰：「吾女既死，而重造訛言，以玷穢亡靈，此不過發冢取物，托以鬼神。」趣收重。重走脫，至玉墓所，訴之。玉曰：「無憂。今歸白王。」王妝梳，忽見玉，驚愕悲喜，問曰：「爾緣何生？」玉跪而言曰：「昔諸生韓重來求玉，大王不許，玉名毀，義絕，自致身亡。重從遠還，聞玉已死，故齎牲幣，詣冢弔唁。感其篤，終輒與相見，因以珠遺之，不為發冢。願勿推治。」夫人聞之，出而抱之。玉如煙然。（《搜神記》）

齊門思女

伐楚得勝回國後，吳王把閶門改稱為破楚門，接著又謀劃攻打齊國。齊景公讓女兒到吳國做人質，吳王便替太子波聘齊景公的女兒為妻。齊女年少思念祖國，日夜痛哭流涕，因此患病。闔閭便修建了一座北門，取名望齊門，讓齊女到城門上遊玩。齊女思念不已，病情一

天天加重，終於喪命。她臨終前說：「如果死人有知覺，請一定把我埋葬在虞山頂上，讓我眺望齊國。」闔閭感到很悲傷，就按她的話，把她葬在虞山的山頂上。

【出處】

諸將既從還楚，因更名閶門曰破楚門。復謀伐齊，齊子使女為質於吳，吳王因為太子波聘齊女。女少思齊，日夜號泣，因乃為病。闔閭乃起北門，名曰望齊門，令女往游其上。女思不止，病日益甚，乃至殂落。女曰：「令死者有知，必葬我於虞山之巔，以望齊國。」闔閭傷之，正如其言，乃葬虞山之巔。（《吳越春秋》〈闔閭內傳〉）

愚而不仁

太子波患病死後，闔閭和大臣們商議在眾公子中挑選誰可以繼立為太子。還沒有決策，太子波的兒子夫差就日夜纏著伍子胥說：「王想立太子，誰能比我合適？此事的謀劃全在您了。」伍子胥說：「太子的事還沒定，我進宮說句話就可以定了。」沒過多久，闔閭果然召子胥進宮商量立太子的事。伍子胥說：「大王想立太子，沒有誰能勝過夫差了。」闔閭說：「他這個人愚笨而缺少仁義，恐怕不能承繼吳國的大統啊。」伍子胥說：「夫差守信愛人，操守端正，禮義敦厚。而且，父親死了由兒子承繼，這是在經典上明文規定的。」闔閭說：「我聽從您的話。」於是闔閭立夫差為太子。

愚而不仁

　　是時太子亦病而死，闔閭謀擇諸公子可立者，未有定計。波太子夫差日夜告於伍胥曰：「王欲立太子，非我而誰當立？此計在君耳。」伍子胥曰：「太子未有定，我入則決矣。」闔閭有頃召子胥，謀立太子，子胥曰：「臣聞祀廢於絕後，興於有嗣。今太子不祿，早失侍御，今王欲立太子者，莫大乎波秦之子夫差。」闔閭曰：「夫愚而不仁，恐不能奉統於吳國。」子胥曰：「夫差信以愛人，端於守節，敦於禮義。父死子代，經之明文。」闔閭曰：「寡人從子。」（《吳越春秋》〈闔閭內傳〉）

白虎據墳

　　闔閭死後，被安葬在吳國國都的西北面，該地名為虎丘。在這裡鑿開土山形成河流，將挖出的土石堆成山丘，其間動員了吳國五郡約十萬人的勞力，修整了上千里土地。挖土鑿池，池的周邊各長六十步，修築了層疊三重的銅製地室，灌注水銀。墓室四周修築壕溝，水深數丈。闔閭下葬時，以黃金、珠玉做成的鳥飾品，以及扁諸之劍和魚腸劍共三千把陪葬。傳說吳王下葬三日後，金氣上升化為白虎，蹲踞在墳墓上，因此被稱為「虎丘」。[2]

---

2. 唐陸廣微《吳地記》：秦始皇東巡至虎邱，求吳王寶劍，其虎當墳而踞，始皇以劍擊之，不及，誤中於石，其虎西走二十五里，忽失於今虎 。

闔廬死，葬於國西北，名虎丘，穿土為川，積壤為丘，發五都之士十萬人，共治千里，使象捷土，冢池四周，水深丈餘，槨三重，傾水銀為池，池廣六十步，黃金珠玉為鳧雁，扁諸之劍魚腸三千在焉，葬之已三日，金精上楊，為白虎據墳，故曰虎丘。（《藝文類聚》〈虎丘山〉）

物有相勝

吳王夫差率兵攻打越國，在就李之地打了敗仗。[3]大風狂刮，日夜不止。戰車破敗，戰馬奔逃，騎兵們因此墜落喪命。大的戰船擱淺，小的戰船被巨浪擊沉。吳王說：「寡人白天睡覺，夢見井嬴星變大滿溢，與越國爭為彗星，越國的彗星將要掃到我國，這場戰爭是否不吉利？應該退師回國嗎？」這時越軍中傳來大叫聲，夫差害怕越軍衝來，驚懼不已。子胥說：「大王請安心，越軍要失敗了！臣聽說，井是人們飲水的地方，滿溢說明飲食有餘。越國在南方，屬火，吳國在北方，屬水，水能克火，大王有什麼好疑慮的呢？風從北方吹來，正是幫助吳國。從前武王伐紂的時候，天空出現彗星，周因此得以興盛。武王詢問此事，太公望說：『臣聽說，彗星出現的爭鬥，倒過來的那方會獲勝。』我聽說災難異像有吉凶之別，事物有相剋之理，這就是明證。希望大王儘快行動，越國將有凶險，而吳國將要昌盛了。」

---

3. 就李，《左傳》《史記》稱檇李，《吳越春秋》作檇里。

昔者，吳王夫差興師伐越，敗兵就李。大風發狂，日夜不止。車敗馬失，騎士墮死。大船陵居，小船沒水。吳王曰：「寡人晝臥，夢見井嬴溢大，與越爭彗，越將掃我，軍其凶乎？孰與師還？」此時越軍大號，夫差恐越軍入，驚駭。子胥曰：「王其勉之哉，越師敗矣！臣聞井者，人所飲，溢者，食有餘。越在南，火，吳在北，水。水制火，王何疑乎？風北來，助吳也。昔者武王伐紂時，彗星出而興周。武王問，太公曰：『臣聞以彗鬥，倒之則勝。』胥聞災異或吉或凶，物有相勝，此乃其證。願大王急行，是越將凶，吳將昌也。」（《越絕書》〈越絕卷〉）

得骨專車

吳國攻打越國，攻克會稽，發現一根骨節可以裝滿一輛車，派使者去問孔子說：「什麼人的骨節這麼大？」孔子說：「大禹召集群臣到會稽山，防風氏遲到了，大禹殺死他陳屍示眾。他的骨節能裝載一車。這是最大的了。」使者問：「誰可以成為神呢？」孔子說：「山川之靈能夠管理天下的，掌管者都是神。主管社稷的等於公侯，主管山川祭祀的等於諸侯，都隸屬於天子。」使者又問：「防風氏掌管什麼？」孔子說：「他本是汪芒氏的君主，掌管封山和嵎山，姓釐。虞夏時稱防風氏，殷商時稱汪芒氏，周朝時稱長狄氏，現在稱大人。」使者問：「他們人有多高？」孔子說：「僬僥國的人身長三尺，是最矮的人；最高的人不超過十尺，這是身高的極限。」使者說：「講得

好啊！真是聖人！」

【出處】

　　吳伐越，墮會稽，得骨專車，使使問孔子曰：「骨何者最大？」
孔子曰：「禹致群臣會稽山，防風氏後至，禹殺而戮之，其骨節專
車，此為大矣。」使者曰：「誰為神？」孔子曰：「山川之靈，足以
紀綱天下者，其守為神。社稷為公侯，山川之祀為諸侯，皆屬於王
者。」曰：「防風氏何守？」孔子曰：「汪芒氏之君守封嵎之山者也，
其神為釐姓，在虞夏為防風氏，商為汪芒氏，於周為長狄氏，今謂之
大人。」使者曰：「人長幾何？」孔子曰：「僬僥氏三尺，短之至也；
長者不過十，數之極也。」使者曰：「善哉！聖人也。」（《說苑》〈辨
物〉）

天子有請

　　晏子出使吳國，吳王對掌管朝覲的官員說：「我聽說晏子是北方
善於辭辯、熟習禮儀的人。」於是命令引見賓客的官吏說：「有賓客
求見，就宣稱天子有請。」第二天，晏子有事求見，掌管朝覲的官員
說：「天子有請。」晏子面有不悅說：「我奉本國君主的命令出使吳
國，卻愚昧迷亂地進入了天子的朝廷，請問吳王在哪裡呢？」吳王聽
到後，只好說：「夫差請先生進見。」晏子按拜見諸侯的禮儀拜見吳
王。

晏子使吳，吳王謂行人曰：「吾聞晏嬰蓋北方之辯於辭、習於禮者也。」命儐者：「客見，則稱天子。」明日，晏子有事，行人曰：「天子請見。」晏子愀然者三，曰：「臣受命弊邑之君，將使於吳王之所，不佞而迷惑入於天子之朝，敢問吳王惡乎存？」然後吳王曰：「夫差請見。」見以諸侯之禮。（《說苑》〈奉使〉）

腹心之疾

吳王夫差同意越國的求和之後，就厲兵秣馬，準備攻打齊國。伍子胥進諫說：「過去上天把越國賜給吳國，而您沒有接受。天命也會有反覆，現在越王勾踐勤政為民，輕徭薄賦，民眾日益富裕，軍隊日益壯大。越國是吳國的心腹之患，齊、魯二國不過是疥癬之疾，他們難道會渡過長江和淮河來與我們爭奪土地嗎？與我們爭奪土地的一定是越國。過去楚靈王不行君道，不納善言，不修內政，大興土木修建章華臺，使得楚民疲憊不堪，又伺機攻打陳國和蔡國，還想渡過沮水和汾水征服吳越兩國，結果民心向背，三軍叛於乾溪，最終落得自縊身亡的下場。靈王的慘痛教訓，怎麼能輕易遺忘呢？現在大王改變當年鯀和禹治水的功業，築臺修池，民眾為修姑蘇臺而疲憊不堪。上天又用災荒奪走了我們的糧食，都城邊邑連年饑荒。您再違背天意去攻打齊國，吳國的民眾眼看要離棄您了。國家的傾覆就好比有一群野獸，一頭野獸中箭，所有的野獸都會亡命逃散，局面就會失控。如果越國人乘機侵襲我們，那時您後悔也來不及了。」吳王不聽勸諫。在

他執政的第十二年起兵攻打齊國。兩軍戰於艾陵，齊軍戰敗，吳國暫時取得成功。

【出處】

　　吳王夫差既許越成，乃大戒師徒，將以伐齊。申胥進諫曰：「昔天以越賜吳，而王弗受。夫天命有反，今越王勾踐恐懼而改其謀，舍其怨令，輕其徵賦，施民所善，去民所惡，身自約也，裕其眾庶，其民殷眾，以多甲兵。越之在吳，猶人之有腹心之疾也。夫越王之不忘敗吳，於其心也怵然，服士以伺吾閒。今王非越是圖，而齊、魯以為憂。夫齊、魯譬諸疾，疥癬也，豈能涉江、淮而與我爭此地哉！將必越實有吳土。王其盍亦鑒於人，無鑒於水。昔楚靈王不君，其臣箴諫以不入。乃築臺於章華之上，闕為石郭，陂漢，以象帝舜。罷弊楚國，以間陳、蔡。不修方城之內，逾諸夏而圖東國，三歲於沮、汾以服吳、越。其民不忍饑勞之殃，三軍叛王於乾谿。王親獨行，屏營仿偟於山林之中，三日乃見其涓人疇。王呼之曰：『余不食三日矣。』疇趨而進，王枕其股以寢於地。王寐，疇枕王以璞而去之。王覺而無見也，乃匍匐將入於棘闈，棘闈不納，乃入芋尹申亥氏焉。王縊，申亥負王以歸，而土埋之其室。此志也，豈遽忘於諸侯之耳乎。今王既變鯀、禹之功，而高高下下，以罷民於姑蘇。天奪吾食，都鄙薦饑。今王將很天而伐齊。夫吳民離矣，體有所傾，譬如群獸然，一個負矢，將百群皆奔，王其無方收也。越人必來襲我，王雖悔之，其猶有及乎。」王弗聽。十二年，遂伐齊。齊人與戰於艾陵，齊師敗績，吳人有功。(《國語》〈吳語〉)

以此益齊

齊國攻打魯國，子貢謁見魯哀公，請求向吳國求救。魯哀公說：「你要拿先王留下的什麼寶物給吳國呢？」子貢說：「假若吳國要索取寶物才肯派兵相救，這個國家就不可依靠。」於是子貢帶了六張楊木麋皮弓前往吳國。子貢對吳王說：「齊國無道，想斷絕周公後代的香火。如果魯國以軍賦五百丘、邾國以軍賦三百丘來補益齊國，這對吳國有利呢，還是不利？」吳王感受到齊國的威脅，於是發兵援救魯國。諸侯說：「齊國攻打周公的後代，吳國大義援救。」於是都到吳國朝見。

【出處】

齊攻魯。子貢見哀公，請求救於吳。公曰：「奚先君寶之用？」子貢曰：「使吳責寶而與我師，是不可恃也。」於是以楊幹麻筋之弓六往。子貢謂吳王曰：「齊為無道，欲使周公之後不血食，且魯賦五百，邾賦三百，不識以此益齊，吳之利與？非與？」吳王懼，乃興師救魯。諸侯曰：「齊伐周公之後，而吳救之。」遂朝於吳。（《說苑》〈奉使〉）

夫子不可增

子貢拜見太宰伯嚭。伯嚭問他說：「孔子這人怎麼樣？」子貢回答說：「我還不夠瞭解他。」太宰伯嚭說：「你不瞭解他，為什麼還

要侍奉他呢？」子貢回答說：「正因為不瞭解，所以才要侍奉他。夫子就像大山裡的森林一樣，人們從中獲取各自所需的材料。」太宰伯嚭說：「你是在抬高夫子嗎？」回答說：「夫子何須抬高？端木賜好比一撮泥土，用一小撮泥土來加高大山，既無必要，也不明智。」太宰伯嚭說：「那你對夫子的學問有斟酌會用嗎？」子貢回答說：「天下有個大酒樽，人人都在用，你偏不去斟酌飲用，不知道是誰的錯呢。」

【出處】

子貢見太宰嚭，太宰嚭問曰：「孔子何如？」對曰：「臣不足以知之。」太宰曰：「子不知，何以事之？」對曰：「惟不知，故事之，夫子其猶大山林也，百姓各足其材焉。」太宰嚭曰：「子增夫子乎？」對曰：「夫子不可增也。夫賜其猶一累壤也，以一累壤增大山，不益其高，且為不知。」太宰嚭曰：「然則子有所酌也。」對曰：「天下有大樽而子獨不酌焉，不識誰之罪也。」（《說苑》〈善說〉）

盤石之田

夫差執政的第十二年，向北進攻齊國。越王勾踐得知消息，親自率領部屬到吳國朝覲，以大量貴重的珍寶向太宰伯嚭行賄。伯嚭接受了越國的賄賂，日夜在吳王身邊幫越國說好話。吳王採納伯嚭的計謀攻打齊國，伍子胥非常恐懼，勸諫吳王說：「越國鼓勵我們攻打齊國，這是在毀掉吳國啊。就算攻破齊國，也不過是得到滿是石頭的田

地，根本沒辦法種莊稼。越國才是吳國致命的病灶，是首先要考慮除掉的隱患。希望大王放棄圖謀齊國而攻打越國。否則將後悔莫及。」吳王不聽從伍子胥的勸諫，派伍子胥出使齊國通知約定交戰的日期。伍子胥對自己的兒子說：「我屢次勸諫，吳王不聽。我已預見到吳國的滅亡了。你和吳國一起滅亡毫無意義。」於是把兒子託付給齊國的鮑牧，然後返回吳國。太宰伯嚭在吳王面前誹謗子胥說：「子胥是在為強暴的齊國力諫，希望大王疏遠他一點。」吳王說：「我知道了。」

【出處】

十二年，夫差復北伐齊。越王聞之，率眾以朝於吳，而以重寶厚獻太宰嚭。嚭喜，受越之賂，愛信越殊甚，日夜為言於吳王，王信用嚭之計。子胥大懼，曰：「是棄吾也。」乃進諫曰：「越在，心腹之病。不前除其疾，今信浮辭偽詐而貪齊，破齊譬由盤石之田，無立其苗也。願王釋齊而前越，不然悔之無及。」吳王不聽，使子胥使於齊，通期戰之會。子胥謂其子曰：「我數諫王，王不我用，今見吳之亡矣。汝與吾俱亡，亡無為也。」乃屬其子於齊鮑氏而還。太宰嚭既與子胥有隙，因讒之曰：「子胥為強暴力諫，願王少厚焉。」王曰：「寡人知之。」未興師，會魯使子貢聘於吳。（《吳越春秋》〈夫差內傳〉）

不敢左右

吳王夫差在艾陵戰勝齊國軍隊後，便派主管外交的官員奚斯向齊

國解釋說：「我統率的吳國將士算不上多，軍隊沿汶水北上，一路軍紀嚴明，只因為我們兩國友好的緣故。現在貴國大夫國子率領大隊人馬，想獵殺我國的將士。如果不是罪在貴國，上天怎麼會讓吳國獲勝呢！」

【出處】

吳王夫差既勝齊人於艾陵，乃使行人奚斯釋言於齊，曰：「寡人帥不腆吳國之役，遵汶之上，不敢左右，唯好之故。今大夫國子興其眾庶，以犯獵吳國之師徒，天若不知有罪，則何以使下國勝。」（《國語》〈吳語〉）

天所未棄

吳王夫差戰勝齊國回來，責備伍子胥造謠惑眾。伍子胥憤怒地說：「上天要拋棄的人，一定先讓他遇到小小的喜事，然後再加給他嚴重的禍患。大王如果能夠覺悟，吳國就能世代存續下去；如果執迷不悟，吳國的壽命就短促了。我不忍心託病退隱，坐視大王被人活捉。如果我先死，請把我的眼睛掛在城門上觀看吳國的滅亡。」吳王聽了不予理睬。一天，吳王坐在大殿上，看見四個人面向庭院，背對背倚靠在一起。吳王奇怪地望著他們，大臣們問說：「大王看見了什麼？」吳王說：「我看見四個人背對背靠著，聽見人聲就四散逃跑了。」伍子胥說：「如果真是那樣，大王就要失去民眾了。」吳王憤怒地說：「你說話太不吉利了。」伍子胥說：「不只是不吉利，連大

王也難逃一死。」過了五天，吳王坐在大殿上，又望見兩人面對面爭鬥，朝北的人殺死了朝南的人。吳王問大臣們：「你們看見沒有？」大臣們都搖頭說：「沒看見啊。」伍子胥說：「大王看見了什麼？」吳王說：「前幾天看見四個人。今天又看見兩個人面對面爭鬥；朝北的人殺了朝南的人。」伍子胥說：「我聽說四人逃走，象徵著背叛；朝北的人殺了朝南的人，象徵著臣殺君啊。」吳王聽了，沒有回應。

【出處】

王遂伐齊，齊與吳戰於艾陵之上，齊師敗績。……吳王還，乃讓子胥曰：「吾前王履德明，達於上帝。垂功用力為子西結強仇於楚。今前王譬若農夫之艾殺四方蓬蒿，以立名於荊蠻，斯亦大夫之力。今大夫昏耄而不自安，生變起詐，怨惡而出，出則罪吾士眾，亂吾法度，欲以妖孽挫衄吾師；賴天降哀，齊師受服。寡人豈敢自歸其功，乃前王之遺德，神靈之佑福也。若子於吳則何力焉？」伍子胥攘臂大怒，釋劍而對曰：「昔吾前王有不庭之臣，以能遂疑計，不陷於大難。今王播棄所患，外不憂此孤僮之謀，非霸王之事。天所未棄，必趨其小喜，而近其大憂。王若覺寤，吳國世世存焉；若不覺寤，吳國之命斯促矣。員擒。員誠前死，掛吾目於門，以觀吳國之喪。」吳王不聽，坐於殿上，獨見四人向庭相背而倚，王怪而視之。群臣問曰：「王何所見？」王曰：「吾見四人相背而倚，聞人言則四分走矣。」子胥曰：「如王言，將失眾矣。」吳王怒曰：「子言不祥！」子胥曰：「非惟不祥，王亦亡矣。」後五日，吳王復坐殿上，望見兩人相對，北向人殺南向人。王問群臣：「見乎？」曰：「無所見。」子胥曰：「王何見？」王曰：「前日所見四人，今日又見二人相對，北向人殺南向

人。」子胥曰：「臣聞，四人走，叛也；北向殺南向，臣殺君也。」
王不應。（《吳越春秋》〈夫差內傳〉）

螳螂捕蟬，黃雀在後

　　吳王夫差殺死伍子胥之後，莊稼連年歉收，民眾多有怨恨。吳王準備發兵攻打齊國，在宋國、魯國之間挖掘了一條運河，北連沂水，西連濟水，想聯合魯國、晉國會師於黃池。他擔心大臣們再來勸諫，就下令說：「我打算再次攻打齊國，勸諫者一律處死。」太子友知伍子胥忠心耿耿卻不被重用，太宰嚭阿諛奉承卻獨攬朝政，本想直言勸諫，又擔心因此獲罪且達不到目的，於是改用婉言相勸。清晨，他懷揣彈丸、手握彈弓，從王宮的後花園出來，衣服和鞋子都打濕了。吳王問他說：「你在做什麼，衣服和鞋子打濕成這樣？」太子友說：「剛才在後花園遊玩，聽見秋蟬鳴叫，就去觀望。那秋蟬，落在高高的樹梢，喝著清澈的露水，隨風舞動，盡情地長詠悲鳴，自以為很安全，卻不知螳螂攀上高枝，沿著枝條，拖著細腰，挺著爪子向秋蟬逼近。那螳螂，屏息靜氣，一門心思只在秋蟬上，卻不知綠林中有隻黃雀，憑藉茂密的樹林和綠葉遮掩，兩腿輕跳，慢慢前進，想啄食螳螂。那黃雀，只知道窺視美味的螳螂，卻不知道我手握彈弓，就要向高處發射，彈丸飛出，眼看就要射中它的背脊。而我因為專注於黃雀，卻不知腳前有口水井，忽然一腳踏空，掉進深井，把衣服、鞋子都打濕了，差一點被大王取笑。」吳王說：「天下之事，沒有比這更為愚蠢的了。只貪圖眼前的利益，看不到身後的禍患。」太子說：「還有比

這更為愚蠢的。那魯國，承繼了周公旦的餘緒，又有孔子的教化，施行仁義，堅持德教，對鄰國沒有貪欲，但齊國卻要興兵攻打它，不愛惜民眾的性命，只希望能有所獲取；齊國只知道興兵攻打魯國，卻不知吳國已調集全國的將士，竭盡府庫的資財，出師千里之外去攻打它；而吳國，只知道踰越國境去攻伐不順服我們的國家，卻不知越王正在挑選拚死作戰的勇士，準備出三江之口，入五湖之中，屠殺吳國的民眾，毀滅吳國的宮殿。這是最大的危險，沒有超過這個的了。」吳王最終沒能聽從太子的勸告，堅持北上攻打齊國。

【出處】

十四年，夫差既殺子胥，連年不熟，民多怨恨。吳王復伐齊。闕為闌溝於商魯之間，北屬蘄，西屬濟，欲與魯晉合攻於黃池之上。恐群臣復諫，乃令國中曰：「寡人伐齊，有敢諫者，死！」太子友知子胥忠而不用，太宰嚭佞而專政，欲切言之，恐罹尤也，乃以諷諫激於王。清旦，懷丸持彈從後園而來，衣夾履濡。王怪而問之，曰：「子何為夾衣濡履，體如斯也？」太子友曰：「適游後園，聞秋蜩之聲，往而觀之。夫秋蟬登高樹，飲清露，隨風㧑撓，長吟悲鳴，自以為安，不知螳螂超枝緣條，曳腰聳距而稷其形。夫螳螂翕心而進，志在有利，不知黃雀盈綠林，徘徊枝陰，踠躍微進，欲啄螳螂。夫黃雀但知伺螳螂之有味，不知臣挾彈危擲，蹭蹬飛丸而集其背。今臣但虛心志在黃雀，不知空陷其旁，暗忽陷中，陷於深井。臣故夾體濡履，幾為大王取笑。」王曰：「天下之愚，莫過於斯：但貪前利，不睹後患。」太子曰：「天下之愚，復有甚者。魯承周公之末，有孔子之教，守仁抱德，無欲於鄰國，而齊舉兵伐之，不愛民命，惟有所

獲。夫齊徒舉而伐魯，不知吳悉境內之士，盡府庫之財，暴師千里而攻之。夫吳徒知踰境征伐非吾之國，不知越王將選死士出三江之口入五湖之中，屠我吳國，滅我吳宮。天下之危，莫過於斯也！」吳王不聽太子之諫，遂北伐齊。（《吳越春秋》〈夫差內傳〉）

齊猶疥癬

　　吳國憑藉伍子胥、孫武的計謀，西破強楚，北威齊、晉，南伐越國。越王勾踐率兵迎擊，在姑蘇山打敗吳軍，吳王闔閭腳趾受傷。吳軍撤退，闔閭對太子夫差說：「你會忘記勾踐殺死你父親嗎？」夫差回答說：「不敢忘記。」當天夜裡，闔閭死去。夫差繼立為王後，以伯嚭為太宰，演習戰陣射技，三年後攻打越國，敗越軍於夫椒山。越王勾踐率領殘兵五千人困守在會稽山上，派大夫文種重賄伯嚭，請求和談，願意交出整個越國，做吳國的奴婢。吳王準備答應越王的請求。伍子胥勸諫說：「越王為人能吃苦耐勞，現在大王不滅越國，以後一定會後悔的。」吳王不聽，採用太宰伯嚭的計謀，與越國講和。此後五年，吳王聽說齊景公死後大臣們爭寵，新君幼弱，於是率軍北上攻打齊國。伍子胥勸阻說：「不可以這樣。我聽說勾踐秉燭達旦，廣羅民心，且善於用人。此人不死，一定是吳國的禍患。現在的越國是我們的心腹之患，齊國不過是瘡癬之疾，大王不先取越國，卻全力伐齊，這不是很荒謬嗎？」太宰伯嚭對吳王說：「伍子胥的話不可聽信。中原各國所以不能聽命於吳國，主要是由於齊晉的緣故。君王如果進攻齊國並戰勝它，然後移兵晉國國境，晉國一定會俯首聽命。這

是君王一舉降服兩個國家啊！以後君王的命令就可以在中原各國推行了。」夫差認為太宰伯嚭說得對，於是採用太宰伯嚭的計謀，結果在艾陵大敗齊軍，與鄒、魯兩國國君會盟後回國。自此之後，吳王便很少接納伍子胥的意見。

【出處】

　　吳以伍子胥、孫武之謀，西破強楚，北威齊、晉，南伐越，越王勾踐迎擊之，敗吳於姑蘇，傷闔廬指，軍卻，闔廬謂太子夫差曰：「爾忘勾踐殺而父乎？」夫差對曰：「不敢。」是夕，闔廬死，夫差既立為王，以伯嚭為太宰，習戰射，三年伐越，敗於夫湫，越王勾踐乃以兵五千人（一作入）棲於會稽山上，使大夫種厚幣遺吳太宰嚭以請和，委國為臣妾。吳王將許之，伍子胥諫曰：「越王為人能辛苦，今王不滅，後必悔之。」吳王不聽，用太宰嚭計與越平。其後五年，吳王聞齊景公死，而大臣爭寵，新君弱，乃興師北伐齊，子胥諫曰：「不可。勾踐食不重味，弔死問疾，且能用人，此人不死，必為吳患；今越，腹心之疾，齊猶疥癬耳，而王不先越，乃務伐齊，不亦謬乎？」吳王不聽，伐齊，大敗齊師於艾陵，遂與鄒、魯之君會以歸，益疏子胥之言。（《說苑》〈正諫〉）

死者有知

　　吳王夫差派伍子胥出使齊國。子胥對他的兒子說：「我屢諫大王不聽，吳國眼看就要滅亡了，你與我一起死不值得。」於是將兒子託

付給齊國的鮑氏，然後回國覆命。太宰伯嚭與伍子胥有仇怨，便在吳王面前進讒：「伍子胥為人剛愎暴躁，不知感恩，他心懷忌恨，遲早將是禍患。以前大王攻打齊國，子胥認為不可，後來伐齊得勝，伍子胥因計謀不被採納，而心生怨恨。現在大王再次攻打齊國，子胥仍然強力諫阻，到處詛咒詆毀，希望吳國戰敗，以證明他計高一籌。現在大王親自率兵，統率全軍攻打齊國，子胥因勸諫不被採用，便裝病不肯隨行。大王千萬要提防他製造禍患。我派人暗中監視，得知他出使齊國時，已將自己的兒子託付給鮑氏。作為臣子，內不得志，外交諸侯，自認為是先王謀臣，現在不受重用，心中常懷不滿，希望大王及早考慮這件事。」吳王說：「沒有你這番話，我也懷疑他。」於是派使者賜給伍子胥屬鏤之劍，讓他以此劍自盡。子胥說：「唉！讒臣伯嚭製造禍亂，大王反而要誅殺我。我使您的父親稱霸，又在您立為太子時冒死力爭。您立為太子時，曾說要分國與我，我自然不會接受，但您為何要聽信讒言殺害長輩呢！」他告訴門客說：「一定要在我的墳上栽植梓樹，讓它長大成材。並摳下我的眼睛，掛在吳都東門，讓我眼望越寇滅亡吳國。」於是伏劍自殺。吳王聽說後大怒，就讓人將伍子胥的屍體裝入皮革袋子，沉入江中。吳王又對被離說：「你常常和子胥議論我的短處。」於是讓人剃去被離的頭髮，判刑懲罰他。吳國人憐惜伍子胥，就在江邊山上為他建立祠堂，取名叫胥山。此後十多年，越國襲擊吳國，吳王回師與越軍交戰，不能取勝，派大夫到越國求和，越王不肯答應。吳王夫差將要自盡時說：「我因為不聽子胥的話才弄到這一步。如果死去的人無知也罷，死去的人如果有知，我

有何面目去見子胥呢！」於是用絲棉蒙蓋臉面，然後自刎而死。[4]

【出處】

　　吳王⋯⋯使子胥於齊，子胥謂其子曰：「吾諫王，王不我用，吾今見吳之滅矣，女與吳俱亡無為也。」乃屬其子於齊鮑氏而歸報吳王。太宰嚭既與子胥有隙，因讒曰：「子胥為人，剛暴少恩，其怨望猜賊為禍也，深恨前日王欲伐齊，子胥以為不可，王卒伐之，而有大功，子胥計謀不用，乃反怨望；今王又復伐齊，子胥專愎強諫，沮毀用事，徼幸吳之敗，以自勝其計謀耳。今王自行，悉國中武力以伐齊，而子胥諫不用，因輟佯病不行，王不可不備，此起禍不難，且臣使人微伺之，其使齊也，乃屬其子於鮑氏。夫人臣內不得意，外交諸侯，自以先王謀臣，今不用，常怏怏，願王早圖之。」吳王曰：「微子之言，吾亦疑之。」乃使使賜子胥屬鏤之劍，曰：「子以此死。」子胥曰：「嗟乎！讒臣嚭為亂，王顧反誅我，我令若父霸，又若立時，諸子弟爭立，我以死爭之於先王，幾不得立，若既立，欲分吳國與我，我顧不敢當，然若之何聽讒臣殺長者！」乃告舍人曰：「必樹吾墓上以梓，令可以為器，而抉吾眼著之吳東門，以觀越寇之滅吳也。」乃自刺殺，吳王聞之大怒，乃取子胥屍，盛以鴟夷革，浮之江中，吳人憐之，乃為立祠於江上，因名曰胥山。後十餘年，越襲吳，吳王還與戰不勝，使大夫行成於越不許，吳王將死曰：「吾以不

---

4. 《說苑》〈正諫〉中說：顧臣愚竊聞昔者，虞不用宮之奇而晉並之，陳不用子家羈而楚並之，曹不用僖負羈而宋並之，萊不用子猛而齊並之，吳不用子胥而越並之，秦人不用蹇叔之言而秦國危，桀殺關龍逢而湯得之，紂殺王子比干而武王得之，宣王殺杜伯而周室卑，此三天子六諸侯，皆不能尊用賢人辯士之言，故身死而國亡。

用子胥之言至於此；今死者無知則已，死者有知，吾何面目以見子胥也？」遂蒙絮覆面而自刎。（《說苑》〈正諫〉）

君子道狹

子石登上吳山四面觀望，喟然嘆息說：「唉，可悲啊！世間明白事理的人，卻不能迎合人心；世間迎合人心的人，又不明白事理。」弟子問說：「您這話什麼意思？」子石說：「從前伍子胥的忠諫不被吳王夫差採納，結果被挖掉眼睛，屍體裝入皮袋；太宰伯嚭、公孫雒苟且迎合夫差去討伐齊國，結果被沉入江湖，頭顱懸掛在越國旗杆上。從前費仲、惡來革、長鼻決耳和崇侯虎，順從商紂王的心思，事事迎合紂王的意願，後來周武王伐紂，四人被殺死在牧野，身首異處。比干盡忠，也被挖心而死。如果堅持真理，就有挖眼剖心的災禍；如果曲意迎合君王，也有身首分離的風險。由此看來，君子之道真的是太險隘了。如果碰不上英明的君主，狹道又遭壅堵，真是連出路也沒有啊。」

【出處】

子石登吳山而四望，喟然而嘆息曰：「嗚呼悲哉！世有明於事情，不合於人心者；有合於人心，不明於事情者。」弟子問曰：「何謂也？」子石曰：「昔者吳王夫差不聽伍子胥，盡忠極諫，抉目而辜；太宰嚭、公孫雒，偷合苟容，以順夫差之志而伐吳。二子沈身江湖，頭懸越旗。昔者費仲、惡來革、長鼻決耳、崇侯虎順紂之心，欲

以合於意，武王伐紂、四子身死牧之野，頭足異所，比干盡忠剖心而死。今欲明事情，恐有抉目剖心之禍，欲合人心，恐有頭足異所之患。由是觀之，君子道狹耳。誠不逢其明主，狹道之中，又將危險閉塞，無可從出者。」(《說苑》〈雜言〉)

中心悵然

吳王夫差殺死伍子胥之後，王孫駱就不再上朝。吳王召見他說：「您為什麼不肯上朝呢？」王孫駱說：「因為恐懼。」吳王說：「您認為我殺死子胥太過分了麼？」王孫駱說：「大王趾高氣揚，子胥處在下位，大王殺他輕而易舉，臣的性命和子胥有何不同呢？」吳王說：「我並不是因為聽信太宰嚭的話才殺子胥的，是子胥算計我啊。」王孫駱說：「我聽說當君主的，手下一定要有敢於進諫的諍臣，處在上位的，一定要有敢於說真話的知交。子胥是先王的老臣。如果他缺乏忠信，又怎麼能成為先王的重臣呢。」吳王心裡悵然，後悔殺了子胥，說：「難道不是因為太宰嚭詆毀子胥嗎？」因此想殺伯嚭。王孫駱說：「不行。大王再殺伯嚭，他就是第二個子胥了。」於是吳王不殺伯嚭。

【出處】

王孫駱聞之，不朝，王召而問曰：「子何非寡人而不朝乎？」駱曰：「臣恐耳。」曰：「子以我殺子胥為重乎？」駱曰：「大王氣高，子胥位下，王誅之。臣命何異於子胥？臣以是恐也。」王曰：「非聽

宰嚭以殺子胥，胥圖寡人也。」駱曰：「臣聞人君者，必有敢諫之臣，在上位者，必有敢言之交。夫子胥，先王之老臣也，不忠不信，不得為前王臣。」吳王中心惆然，悔殺子胥：「豈非宰嚭之讒子胥？」而欲殺之。駱曰：「不可。王若殺嚭，此為二子胥也。」於是不誅。（《吳越春秋》〈夫差內傳〉）

忠臣不顧其軀

　　吳王統率九郡的軍隊攻打齊國。從胥門出發，經過姑胥臺時，在姑胥臺小睡，做了個怪夢，醒來十分惆悵。於是叫來太宰伯嚭說：「大白天睡覺做了個怪夢，你幫我測一下吉凶。我夢見自己進入章明宮，看見兩口鍋中熱氣上升卻不燒火，兩條黑狗向南吠、向北叫，兩把鐵鍬豎直插在宮牆上，流水浩浩蕩蕩越過宮內的大堂，後房打鐵的工匠把風箱拉得切切作響，前面園子裡橫長著梧桐樹。你給測一下，該不會有什麼不祥吧？」太宰嚭說：「我聽說章是有德的音樂蹡蹡響，明是攻破敵人的名聲響亮；兩口鍋中熱氣上升卻不燒火，是大王聖明的德行元氣有餘；兩條黑狗向南叫、向北叫，是四方各族已被征服而各國諸侯都來朝見；兩把鐵鍬直插在宮牆上，是農民下地、種田人翻土；流水浩浩蕩蕩越過宮內大堂，是鄰國貢獻的財物多得放不下；後房打鐵的工匠把風箱拉得切切作響，是宮女喜歡音樂而琴瑟在合奏應和。前面的園子裡橫長著梧桐，是音樂官署中的鼓聲啊。」吳王聽了很高興，但仍然放心不下，又召見王孫駱說：「我大白天做了個怪夢，你幫我解釋一下。」王孫駱說：「我對方術知之甚少。長城

公的弟弟公孫聖見多識廣，知道鬼神的情況。大王可以問問他。」吳王於是讓王孫駱請公孫聖來解夢。公孫聖接受詔令後，悲哀地與妻子告別說：「我學成道術已十年，隱居避害，只想延年益壽。如今突然得召，只好與你永別了。」於是離家到了姑胥臺。吳王說：「我準備北上攻打齊國，從胥門出發，經過姑胥臺，在白天做了個夢，你給我預測一下，說說吉凶。」公孫聖聽了吳王的描述後說：「我如果說假話，生命一定能保全；如果說真話，就會被大王碎屍百段。然而忠臣是不會顧忌個人身軀的。」於是抬頭嘆息說：「我聽說：『愛撐船的一定溺亡於水，好戰的肯定死在戰場。』我嚮往說真話，也就不顧忌死活了，希望大王好好考慮我的話吧。章，意味著打了敗仗倉皇逃跑。明，是拒絕明智向昏庸愚昧靠近。進門看見鍋中熱氣蒸騰而不燒火，表明大王不能吃到熟食。兩條黑狗向北叫喚，黑色象徵陰，北表示隱藏。兩把鐵鍬豎直插在宮牆上，意味著越國的軍隊打進吳國、剷除宗廟和神祀。流水浩浩蕩蕩越過宮內大堂，是王宮被掠奪得空空蕩蕩。後房拉風箱拉得切切作響，是坐著長長嘆息。前園橫長著梧桐樹，梧桐樹樹心空疏，不能做實用的器物，只能做殉葬用的小木偶和死人一起埋葬。希望大王按兵不動、推行德政，不要攻打齊國，災禍就可以消除。而後再派遣您的下屬太宰嚭、王孫駱等去向勾踐磕頭謝罪，吳國就可以保存，您自己也可以不死。」吳王聽了這番話，心裡很不是滋味，頓時惱怒說：「我是上天所生，是神仙派來的。」於是命令大力士石番用鐵鏈打死公孫聖。公孫聖抬頭朝天說：「蒼天知道我的冤枉。我赤膽忠心卻受到懲處，沒有罪過卻被殺死。請把我埋在深山，墓前埋個木椿，以後相會時我會發出聲響的。」吳王派守門人把他的屍體帶到蒸丘說：「豺狼吃你的肉，野火燒你的骨，東風吹散

你的殘骸，你的骨肉腐爛，怎麼還能發出聲響呢？」太宰嚭入宮報告說：「祝賀大王，災禍已經消除。請馬上舉行傳杯敬酒的儀式，軍隊可以出發了。」

【出處】

　　王乃遣王孫駱往請公孫聖，曰：「吳王晝臥姑胥之臺，忽然感夢，覺而悵然，使子占之，急詣姑胥之臺。」公孫聖伏地而泣，有頃而起。其妻從旁謂聖曰：「子何性鄙！希睹人主，卒得急召，涕泣如雨。」公孫聖仰天嘆曰：「悲哉！非子所知也。今日壬午，時加南方，命屬上天，不得逃亡。非但自哀，誠傷吳王。」妻曰：「子以道自達於主，有道當行，上以諫王，下以約身。今聞急召，憂惑潰亂，非賢人所宜。」公孫聖曰：「愚哉！女子之言也。吾受道十年，隱身避害，欲紹壽命，不意卒得急召，中世自棄，故悲與子相離耳。」遂去，詣姑胥臺。吳王曰：「寡人將北伐齊魯，道出胥門，過姑胥之臺，忽然晝夢，子為占之，其言吉凶。」公孫聖曰：「臣不言，身名全，言之必死百段於王前。然忠臣不顧其軀。」乃仰天嘆曰：「臣聞好船者必溺，好戰者必亡，臣好直言，不顧於命。願王圖之。臣聞：章者，戰不勝，敗走偉偟也。明者，去昭昭，就冥冥也。入門見鬲蒸而不炊者，大王不得火食也。兩黑犬嗥以南、嗥以北者，黑者，陰也，北者，匿也。兩鋘殖宮牆者，越軍入吳國，伐宗廟，掘社稷也。流水湯湯越宮堂者，宮空虛也。後房鼓震篋篋者，坐太息也。前園橫生梧桐者，梧桐心空不為用器，但為盲僮，與死人俱葬也。願大王按兵修德，無伐於齊，則可銷也。遣下吏太宰嚭、王孫駱解冠幘，肉袒徒跣，稽首謝於勾踐，國可安存也，身可不死矣。」吳王聞之，索然

作怒，乃曰：「吾天之所生，神之所使。」顧力士石番，以鐵錘擊殺之。聖乃仰頭向天而言曰：「吁嗟！天知吾之冤乎？忠而獲罪，身死無辜。以葬我以為直者，不如相隨為柱，提我至深山，後世相屬為聲響。」於是吳王乃使門人提之蒸丘，「豺狼食汝肉，野火燒汝骨，東風數至，飛揚汝骸，骨肉糜爛，何能為聲響哉？」太宰嚭趨進曰：「賀大王喜，災已滅矣，因舉行觴，兵可以行。」（《吳越春秋》〈夫差內傳〉）

千鈞之重，加銖而移

　　子貢到達吳國，拜見吳王說：「我聽說王者不絕世，霸者無強敵。在千鈞重物上增加一銖的重量，重心就會偏移。現在萬乘兵車的齊國想吞併千乘兵車的魯國，以此與吳國爭霸，我私下替您擔憂。何況，援救魯國可以獲得諸侯的讚譽，討伐齊國可以獲得利益上的好處。肩負保存魯國的道義，同時打擊強暴的齊國、威懾強大的晉國，大王還有什麼好猶豫的呢？」吳王說：「好的。不過我要先攻打越國，等我打敗越國之後再去救援魯國吧。」子貢說：「不行啊。魯國與越國同為弱國，齊國的實力卻強過吳國。大王還沒攻下越國，魯國早已被齊國據為己有了。害怕弱小的越國而不敢面對強齊，是懦弱的表現；注重小利而忽視大害，是不明智。我聽說仁愛的人不區分親疏遠近而博愛天下；明智的人善於把握建功立業的時機；稱王天下的人會順應時代的呼喚挺身而出主持道義。如果您真的害怕越國，請讓我到東邊去說服越王，讓他派軍隊隨您伐齊。」吳王聽了，十分高興。

千鈞之重，加銖而移

　　子貢南見吳王，謂吳王曰：「臣聞之，王者不絕世，而霸者無強敵，千鈞之重，加銖而移。今萬乘之齊，而私千乘之魯，而與吳爭強，臣竊為君恐焉。且夫救魯，顯名也；伐齊，大利也，義存亡魯，害暴齊而威強晉，則王不疑也。」吳王曰：「善。雖然，吾嘗與越戰，棲之會稽，入臣於吳，不即誅之，三年使歸。夫越君，賢主，苦身勞力，夜以接日，內飾其政，外事諸侯，必將有報我之心。子待我伐越而聽子。」子貢曰：「不可。夫越之強不過於魯，吳之強不過於齊，主以伐越而不聽臣，齊亦已私魯矣。且畏小越而惡強齊，不勇也；見小利而忘大害，不智也。臣聞仁人不因居，以廣其德；智者不棄時，以舉其功；王者不絕世，以立其義。且夫畏越如此，臣誠東見越王，使出師以從下吏。」吳王大悅。（《吳越春秋》〈夫差內傳〉）

肝腦塗地

　　子貢東行拜見越王。越王得知消息，張燈結綵迎到郊外，並親自陪同子貢到賓館下榻，問子貢說：「越國是偏僻落後的蠻夷之國，大夫如此屈尊來此，是為什麼呢？」子貢說：「我來，是為了哀悼您。」越王勾踐再次磕頭跪拜說：「我聽說禍福相鄰，大夫前來哀悼是我的福氣，怎敢不請教您的高見呢？」子貢說：「我剛剛拜訪過吳王，勸他出兵攻打齊國，援救魯國，但他擔憂越國乘機報復。報復的欲念還沒產生就讓別人懷疑，是笨拙；有報復的企圖而讓別人知道，是不安全；謀略還沒付諸實施就被暴露，是危險。這三種情況，是舉事者的

大忌。」越王再三拜謝說:「我很小就沒了父親,自不量力而與吳人交戰,結果軍隊戰敗,自己受辱,被困於會稽山。現在大夫屈尊自己前來哀悼我,又以金玉良言開導我。這是上天的恩賜,我怎敢不接受您的教誨呢?」子貢說:「現在吳王有攻打齊國、晉國的意向,您要拿出貴重的寶器去博取吳王的歡心,要以盡量謙恭的言辭顯示對吳王的禮敬。吳王一旦攻打齊國,齊國必定應戰。如果吳國戰敗,就是您的福氣;如果吳國獲勝,就一定會進逼晉國。這樣,吳國的戰力將在齊、晉兩國消耗殆盡,到時候您要制服吳國的殘餘勢力,就輕而易舉了。」越王再次拜謝子貢說:「從前吳王率兵攻打我國,殘殺我的民眾,侮辱我的群臣百官,剷平我的宗廟,國家因此成為廢墟,我自己也成為任人宰殺的魚鱉。我對吳國的怨恨深入骨髓;但我侍奉吳國,還得像兒子侍奉父親、弟弟尊敬兄長一樣。這些都是我的肺腑之言啊!今天大夫有所賜教,我才敢吐露真情。我獨自睡臥在單薄的草蓆上,口不食美味、目不視美色、耳不聞美聲已經三年了。我臥薪嘗膽,處心積慮,勞心勞力,勤政愛民,只希望有朝一日能與吳國一較高低,即便戰死、肝腦塗地也在所不惜。然而以現在越國的實力,還不足以擊敗吳國。因此我情願暫時離開王位,辭別百官,改變容貌,更換姓名,前往吳國,手執箕帚、飼養牛馬以侍奉吳王。雖然我知道這樣做可能會被腰斬,手腳分離,身體被肢解,為天下人笑,但我的決心已定。現在大夫恩賜我保存越國、拯救民眾的妙計,我豈敢不俯首聽命呢?」子貢說:「吳王其人,貪圖功名而不知利弊得失。」越王驚恐不安地離開座位。子貢又說:「吳王四處出兵,多次征伐,將士得不到獎賞,忠臣被冷落,讒臣得勢。伍子胥冒死直諫,但到死忠言也不被吳王採納。太宰伯嚭看似聰明實則愚蠢,看似剛強實則軟

弱。他陽奉陰違，一直用花言巧語和欺詐之言侍奉君主。」越王聽了十分高興。子貢離開越國時，越王送給他黃金百鎰、寶劍一把、好馬兩匹，子貢一概謝絕，沒有接受。

【出處】

子貢東見越王，王聞之，除道郊迎，身御至舍。問曰：「此僻狹之國，蠻夷之民，大夫何索然若不辱乃至於此？」子貢曰：「君處故來。」越王勾踐再拜稽首曰：「孤聞禍與福為鄰，今大夫之弔，孤之福矣。孤敢不問其說。」子貢曰：「臣今者見吳王，告以救魯而伐齊，其心畏越。且夫無報人之志而使人疑之，拙也；有報人之意而使人知之，殆也；事未發而聞之者，危也。三者，舉事之大忌也。」越王再拜曰：「孤少失前人，內不自量與吳人戰，軍敗身辱，遁逃上棲會稽，下守海濱，唯魚鱉見矣。今大夫辱弔而身見之，又發玉聲以教孤，孤賴天之賜也，敢不承教？」子貢曰：「臣聞：『明主任人，不失其能，直士舉賢，不容於世。』故臨財分利則使仁，涉患犯難則使勇，用智圖國則使賢，正天下定諸侯則使聖。兵強而不能行其威勢，在上位而不能施其政令於下者，其君幾乎難矣！臣竊自擇可與成功而至王者，惟幾乎？今吳王有伐齊晉之志，君無愛重器以喜其心，無惡卑辭以盡其禮。而伐齊，齊必戰，不勝，君之福也；彼戰而勝，必以其兵臨晉。騎士銳兵弊乎齊，重寶、車騎、羽毛盡乎晉，則君制其餘矣。」越王再拜，曰：「昔者吳王分其民之眾以殘吾國，殺敗吾民，鄙吾百姓，夷吾宗廟，國為墟棘，身為魚鱉。孤之怨吳，深於骨髓，而孤之事吳，如子之畏父，弟之敬兄。此孤之死言也。今大夫有賜，故孤敢以報情。孤身不安重席，口不嘗厚味，目不視美色，耳不聽雅

音，既已三年矣；焦脣乾舌，苦身勞力，上事群臣，下養百姓；願一與吳交戰於天下平原之野。正身臂而奮吳越之士，繼踵連死，肝腦塗地者，孤之願也。思之三年，不可得也，今內量吾國不足以傷吳，外事諸侯而不能也。願空國，棄群臣，變容貌，易姓名，執箕帚，養牛馬以事之。孤雖知要領不屬，手足異處，四支布陳，為鄉邑笑，孤之意出焉。今大夫有賜，存亡國，舉死人，孤賴天賜，敢不待令乎？」子貢曰：「夫吳王為人，貪功名而不知利害。」越王愀然避位。子貢曰：「臣觀吳王為數戰伐，士卒不恩，大臣內引，讒人益眾。夫子胥為人精誠中廉，外明而知時，不以身死隱君之過。正言以忠君，直行以為國，其身死而不聽，太宰嚭為人智而愚，強而弱，巧言利辭以內其身，善為詭詐以事其君，知其前而不知其後，順君之過以安其私，是殘國傷君之佞臣也。」越王大悅。子貢去，越王送之金百鎰，寶劍一，良馬二。子貢不受。（《吳越春秋》〈夫差內傳〉）

內不自量

　　子貢返回吳國，對吳王說：「我把要越王充當下吏隨從伐齊的話告知越王，越王說：『大王的恩德至死也不會忘記，哪裡還敢有什麼圖謀呢。』越王非常恐懼，很快就要派使者前來謝罪。」子貢在賓館住了五天，越國的使者果然來了，獻上越國前代國王珍藏的鎧甲二十件、屈盧矛、步光劍等寶器，表示勾踐願意身披鎧甲、親率三千士兵為伐齊先鋒。吳王非常高興，召見子貢說：「越國的使者來了，請求派出士兵三千人，他們的君主也要跟隨我一起去攻打齊國，這樣行

嗎？」子貢說：「不行。掏空了別人的國家，帶走了別人的士兵，又使他們的國君親自跟隨，這不仁義。接受他的禮物，收下他的軍隊，辭退他的國君就可以了。」吳王答應照辦。

【出處】

　　至吳，謂吳王曰：「臣以下吏之言告於越王，越王大恐，曰：『昔者孤身不幸，少失前人。內不自量，抵罪於吳，軍敗身辱，逋逃出走，棲於會稽，國為墟莽，身為魚鱉。賴大王之賜，使得奉俎豆，修祭祀，死且不敢忘，何謀之敢？』其志甚恐，將使使者來謝於王。」子貢館五日，越使果來，曰：「東海役臣勾踐之使者臣種敢修下吏，少聞於左右：昔孤不幸，少失前人，內不自量，抵罪上國，軍敗身辱，逋逃會稽，賴王賜，得奉祭祀，死且不忘。今竊聞大王興大義，誅強救弱，困暴齊而撫周室，故使賤臣以奉前王所藏甲二十領，屈盧之矛，步光之劍，以賀軍吏。若將遂大義，弊邑雖小，請悉四方之內士卒三千人，以從下吏，請躬被堅執銳，以前受矢石，君臣死無所恨矣。」吳王大悅。乃召子貢曰：「越使果來，請出士卒三千，其君從之，與寡人伐齊。可乎？」子貢曰：「不可。夫空人之國，悉人之眾，又從其君，不仁也。受幣，許其師，辭其君即可。」吳王許諾。（《吳越春秋》〈夫差內傳〉）

慮不預定

　　子貢於是到達晉國，拜見晉定公說：「我聽說國家缺乏預見，就

不能應付突然的變化；軍隊缺乏戰備，就不可能戰勝來犯之敵。現在吳國和齊國就要開戰，吳國如果戰敗，越國必定會趁火打劫；吳國如果戰勝齊國，就會進一步進逼晉國。您對形勢有預判嗎？」定公說：「我該怎麼辦呢？」子貢說：「整治兵器、調撥士卒，準備應戰吧。」晉君點頭答應。子貢於是返回魯國。

【出處】

子貢去晉，見定公曰：「臣聞慮不預定，不可以應卒；兵不預辦，不可以勝敵。今吳齊將戰，戰而不勝，越亂之必矣；與戰而勝，必以其兵臨晉，君為之奈何？」定公曰：「何以待之？」子貢曰：「修兵伏卒以待之。」晉君許之，子貢返魯。《吳越春秋》〈夫差內傳〉

荒成不盟

越王勾踐派諸稽郢向吳王夫差求和。夫差對眾大夫說：「我想討伐齊國實現稱霸中原的大志，因此打算同意越國的求和，你們不要違背我的意願。如果越國能改過，我又何必深加追究；如果不能改過，等我從齊國班師回來，再收拾它不遲。」申胥進諫說：「不能答應越國的求和。越國大夫文種忠勇善謀，他是想把吳國玩弄於股掌之上，最終達到滅亡吳國的目的。他知道大王好擺威風，爭強好勝，所以有意以恭順謙卑的話來迎合您，使您把注意力轉向中原各國，期盼吳國的軍隊疲憊，百姓叛離逃亡，國力一天天衰弱，然後再來乘機收拾殘局。那越王勾踐為人守信且愛護民眾，四方人心歸附，每年五穀豐

登，國力一天比一天強大。趁現在我們還能打敗越國，不然小蛇長成了大蛇，我們就無法對付了。」吳王說：「大夫何必把越國形容得那麼強大，越國值得我們擔憂到如此地步嗎？真要沒了越國，我在年富力強時向誰去炫耀武力呢？」終於還是答應了越國的求和。按常規將舉行結盟儀式時，越王又派諸稽郢來推辭說：「君王認為盟誓有必要嗎？上次結盟時塗在嘴上的血印還沒乾，足以使雙方互相信任了；要是認為盟誓確有必要，君王連甲兵的威勢也不必用，直接來監察役使我們好了，又何必重視鬼神的監督而輕視自己的權威呢？」吳王竟然同意這種說法，空口無憑就答應了越國的求和。

【出處】

　　吳王夫差乃告諸大夫曰：「孤將有大志於齊，吾將許越成，而無拂吾慮。若越既改，吾又何求？若其不改，反行，吾振旅焉。」申胥諫曰：「不可許也。夫越非實忠心好吳也，又非懾畏吾兵甲之強也。大夫種勇而善謀，將還玩吳國於股掌之上，以得其志。夫固知君王之蓋威以好勝也，故婉約其辭，以從逸王志，使淫樂於諸夏之國，以自傷也。使吾甲兵鈍弊，民人離落，而日以憔悴，然後安受吾燼。夫越王好信以愛民，四方歸之，年穀時熟，日長炎炎。及吾猶可以戰也，為虺弗摧，為蛇將若何？」吳王曰：「大夫奚隆於越，越曾足以為大虞乎。若無越，則吾何以春秋曜吾軍士。」乃許之成。將盟，越王又使諸稽郢辭曰：「以盟為有益乎？前盟口血未乾，足以結信矣。以盟為無益乎？君王舍甲兵之威以臨使之，而胡重於鬼神而自輕也？」吳王乃許之，荒成不盟。（《國語》〈吳語〉）

吳國有難

　　吳王夫差在艾陵附近打敗齊軍之後，把軍隊調過來進逼晉國，和晉定公爭當盟主，還沒有成功，吳國就傳來情報說：越國的軍隊已經攻入吳國國都打敗了太子友，焚燒姑胥臺，搶走大船。夫差非常恐懼，急忙召集各位大臣商量說：「我們離國內路途遙遠，不參加會盟趕回去和爭當盟主與晉國歃血，兩者哪個有利？」王孫駱說：「不如先爭當盟主，當了盟主就可以號令諸侯，為吳國牟利。請大王集合將士，申明法令，以高官厚祿和嚴刑峻法來激勵、約束他們，使每個人都拚死效力。」於是夫差連夜集合軍隊，將三萬六千將士分為左、中、右三軍，分穿白色、紅色和黑色的軍服，在雞鳴時距晉軍一里路外排好陣勢。天還沒有亮，吳王便親自擂鼓，左、中、右三軍齊聲吶喊，聲音震天動地。晉國人大為驚駭，緊閉營門，派童褐來拜見吳軍。吳王直言不諱地說：「我們的軍隊為爭盟主而來。我侍奉或不侍奉你們的國君，就在今天這一仗。勞駕使者儘快回去傳達，我將在你們軍營的圍牆之外等候你們的答覆。」吳王送童褐出門時，不小心踩了一下童褐的左腳。童褐回營向定公匯報執行使命的情況後，報告趙鞅說：「我觀察吳王的臉色，好像有很傷心的事。小一點的話，就是他有愛妾或愛子死了，要不就是宮中有內亂；大一點的話，可能越國已經攻入吳國，斷了他的後路。被逼到困境的人會非常殘暴，進退就不會考慮禍患，所以千萬不能和他交戰。您不妨答應他在會盟時先歃血，不要因為爭奪盟主而使國家陷於危險的境地。但也不能輕易答應他，一定要表明自己的信用。」趙鞅於是報告定公說：「在當初的周國，吳太伯是姬姓的老大，可以讓吳王先歃血，以此來盡到國家的禮

儀。」定公答應了，命令童褐向吳王回報。吳王因為晉國的謙讓感到慚愧，就退到帳篷去與晉國會盟。兩國君臣都在場，吳王改稱為吳公，先歃血，晉定公在他之後歃血，群臣也都立誓締結了盟約。

【出處】

越王聞吳王伐齊，使范蠡、洩庸率師屯海通江，以絕吳路。敗太子友於始熊夷，通江淮轉襲吳，遂入吳國，燒姑胥臺，徙其大舟。吳敗齊師於艾陵之上，還師臨晉，與定公爭長，未合，邊候乃至，以越亂告。吳王夫差大懼，合諸侯謀曰：「吾道遼遠，無會、前進，孰利？」王孫駱曰：「不如前進，則執諸侯之柄，以求其志。請王屬士，以明其令，勸之以高位，辱之以不從，令各盡其死。」夫差昏秣馬食士，服兵被甲，勒馬銜枚，出火於造，暗行而進。吳師皆文犀長盾，扁諸之劍，方陣而行。中校之軍皆白裳、白髦、素甲、素羽之矰，望之若荼，王親秉鉞，戴旗以陣而立。左軍皆赤裳、赤髦、丹甲、朱羽之矰，望之若火。右軍皆玄裳、玄輿、黑甲、烏羽之矰，望之如墨。帶甲三萬六千，雞鳴而定。陣去晉軍一里。天尚未明，王乃親鳴金鼓，三軍嘩吟，以振其旅，其聲動天徙地。晉大驚不出，反距堅壘，乃令童褐請軍，曰：「兩軍邊兵接好，日中無期。今大國越次而造弊邑之軍壘，敢請辭故？」吳王親對曰：「天子有命，周室卑弱，約諸侯貢獻，莫入王府，上帝鬼神而不可以告。無姬姓之所振，懼遣使來告，冠蓋不絕於道。始周依負於晉，故忽於夷狄會晉，今反叛如斯，吾是以蒲服就君。不肯長弟，徒以爭強，孤進不敢，去君不命長，為諸侯笑。孤之事君決在今日，不得事君命在今日矣！敢煩使者往來，孤躬親聽命於藩籬之外。」童褐將還，吳王蹶左足與褐決

矣。及報，與諸侯、大夫列坐於晉定公前。既以通命，乃告趙鞅曰：「臣觀吳王之色，類有大憂，小則嬖妾、嫡子死，否則吳國有難；大則越人入，不得還也。其意有愁毒之憂，進退輕難，不可與戰。主君宜許之以前，期無以爭行而危國也。然不可徒許，必明其信。」趙鞅許諾。入謁定公，曰：「姬姓於周，吳為先老，可長，以盡國禮。」定公許諾。命童褐覆命。於是吳王愧晉之義，乃退幕而會。二國君臣並在，吳王稱公前晉侯次之，群臣畢盟。（《吳越春秋》〈夫差內傳〉）

勠力同德

　　吳王夫差從黃池盟會返回後，派王孫苟去向周天子報功說：「從前楚國人不遵守禮儀，不承擔天子的貢賦，疏遠我們這些同姓諸侯國。我們的先君闔閭不能容忍這種行為，親率軍隊與楚昭王在中原柏舉一帶展開激戰。上天賜福於吳國，楚軍被打敗，楚昭王逃離國都，吳軍攻進楚都，闔閭集合楚國的百官，讓他們恢復對社稷的祭祀。因為闔閭和弟弟夫概王的關係不好，夫概在國內作亂，所以才返回吳國。如今齊侯壬重蹈楚國的覆轍，我夫差不能容忍這種行為，親率軍隊沿汶水北上攻打齊國的博邑，冒雨在艾陵與齊軍交戰。上天賜福給吳國，齊軍被打敗。我夫差怎敢自誇？其實是周文王、武王賜福給吳國啊。回國後不等莊稼成熟，我又沿江溯淮河而上，挖掘運河直抵宋國和魯國，來加強同姓諸侯國之間的溝通。我夫差終於能成就大事，冒昧地派王孫苟來向您的手下官員報告。」周天子回答王孫苟說：「吳伯父派你來，說明他要繼承先君的傳統擁戴我，我嘉勉他的

做法。過去周王室遭逢天降之禍，老百姓因而受苦，我心裡哪能忘記憂患？不僅僅是擔心諸侯各國的安危啊。現在吳伯父說願與我同心合力，他若真能這樣做，那真是我的福氣。希望他健康長壽，他的德行真是偉大啊！」

【出處】

吳王夫差既退於黃池，乃使王孫苟告勞於周，曰：「昔者楚人為不道，不承共王事。以遠我一二兄弟之國。吾先君闔廬不貫不忍，被甲帶劍，挺鈹搢鐸，以與楚昭王毒逐於中原柏舉。天舍其衷，楚師敗績，王去其國，遂至於郢。王總其百執事，以奉其社稷之祭。其父子、昆弟不相能，夫概王作亂，是以復歸於吳。今齊侯壬不鑒於楚，又不承共王命，以遠我一二兄弟之國。夫差不貫不忍，被甲帶劍，挺鈹搢鐸，遵汶伐博，簦笠相望於艾陵。天舍其衷，齊師還。夫差豈敢自多，文、武實舍其衷。歸不稔於歲，余沿江溯淮，闕溝深水，出於商、魯之間，以徹於兄弟之國。夫差克有成事，敢使苟告於下執事。」周王答曰：「苟，伯父今女來，明紹享余一人，若余嘉之。昔周室逢天之降禍，遭民之不祥，余心豈忘憂恤，不唯下土之不康靖。今伯父曰：『勠力同德。』伯父若能然，余一人兼受而介福。伯父多歷年以沒元身，伯父秉德已侈大哉。」（《國語》〈吳語〉）

天誅當行

越國的軍隊將吳王夫差團團圍住。吳王把信綁在他的箭上射給

文種、范蠡的部隊，信上說：「我聽說：『狡兔以死，良犬就烹；敵國如滅，謀臣必亡。』現在吳國已經筋疲力盡了，大夫們還圖個什麼呢？」大夫文種、相國范蠡不予理睬，仍加緊進攻。文種對越王說：「仲冬生氣止息，上天將行殺戮。如果不奉行上天的意志執行殺戮，就會反過來遭受禍殃。」越王於是派人去告訴吳王說：「實在想今天聽到你自裁的消息。」吳王不肯自殺。越王又派使者去說：「大王為什麼如此不顧羞辱、厚顏無恥呢？世上本沒有萬歲的君主，終歸難免一死。現在您還有一點殘留的體面，為什麼一定要讓我軍士兵把刀架到大王的脖子上呢？」吳王仍然不肯自殺。勾踐對文種、范蠡說：「二位為什麼不直接殺死他？」文種、范蠡說：「我們處在臣子的位置，不敢對君主施以殺戮。請大王再次命令他說：『上天的懲罰應該施行，不能再拖。』」越王於是瞪著眼睛憤怒地對吳王說：「死亡，是人所厭惡的；厭惡死亡，就不應該得罪上天，虧欠別人。現在你擁有六條罪過，卻不知慚愧羞辱而想求得一命，難道不覺得卑鄙醜陋嗎？」吳王於是長長嘆息，抬頭向四方眺望，而後說：「好吧。」於是伏劍而死。越王對太宰嚭說：「作為臣子，你既不忠心、也無誠信，以致於亡國滅君。」於是殺死了伯嚭及其妻子兒女。吳王將要自殺時，回頭對身邊的人說：「我活著慚愧，死了也內疚啊。假如死人有知覺，我沒有臉去見先父、伍子胥和公孫聖；假如死人沒有知覺，我也對不起活著的人們啊。我死了，你們一定要用絲棉罩住我的雙眼，並將我的身體嚴實包裹。我活著的時候不能明辨是非，死了也不想世人看清我的形體。我還能怎麼樣呢？」越王按照國君的禮儀將吳王埋葬在秦餘杭山脈的卑猶山上，太宰嚭也葬在卑猶山旁。

【出處】

須臾，越兵至，三圍吳。范蠡在中行，左手提鼓，右手操枹而鼓之。吳王書其矢而射種、蠡之軍，辭曰：「吾聞狡兔以死，良犬就烹，敵國如滅，謀臣必亡。今吳病矣，大夫何慮乎？」大夫種、相國蠡急而攻。……大夫種謂越君曰：「中冬氣定，天將殺戮，不行天殺，反受其殃。」越王敬拜曰：「諾。今圖吳王將為何如？」大夫種曰：「君被五勝之衣，帶步光之劍，仗屈盧之矛，瞋目大言以執之。」越王曰：「諾。」乃如大夫種辭吳王曰：「誠以今日聞命！」言有頃，吳王不自殺。越王復使謂曰：「何王之忍辱厚恥也？世無萬歲之君，死生一也。今子尚有遺榮，何必使吾師眾加刃於王？」吳王仍未肯自殺。勾踐謂種、蠡曰：「二子何不誅之？」種、蠡曰：「臣，人臣之位，不敢加誅於人主。願主急而命之：『天誅當行，不可久留。』」越王復瞋目怒曰：「死者，人之所惡，惡者，無罪於天，不負於人。今君抱六過之罪，不知愧辱而欲求生，豈不鄙哉？」吳王乃太息，四顧而望，言曰：「諾。」乃引劍而伏之死。越王謂太宰嚭曰：「子為臣不忠無信，亡國滅君。」乃誅嚭並妻子。吳王臨欲伏劍，顧謂左右曰：「吾生既慚，死亦愧矣。使死者有知，吾羞前君地下，不忍睹忠臣伍子胥及公孫聖；使其無知，吾負於生。死必連綦組以罩吾目，恐其不蔽，願復重羅繡三幅，以為掩明，生不昭我，死勿見我形，吾何可哉？」越王乃葬吳王以禮於秦餘杭山卑猶。越王使軍士集於我戎之功，人一隰土以葬之。宰嚭亦葬卑猶之旁。（《吳越春秋》〈夫差內傳〉）

何不以諫

　　石益對孫伯說：「吳國將要滅亡了，你知道這件事嗎？」孫伯說：「你知道得太晚了，我怎麼會不知道呢？」石益說：「那你怎麼不去勸諫吳王呢？」孫伯說：「從前夏桀懲罰進諫的人；商紂王燒死聖人，挖出王子比干的心。袁氏的主婦纏繞絲線時亂了頭緒，小妾告訴她，她反而大怒，趕走了小妾。亡國的君主大多是這一類人，哪裡希望別人指出他的過失呢？」

【出處】

　　石益謂孫伯曰：「吳將亡矣！吾子亦知之乎？」孫伯曰：「晚矣，子之知之也。吾何為不知？」石益曰：「然則子何不以諫？」孫伯曰：「昔桀罪諫者，紂焚聖人，剖王子比干之心。袁氏之婦，絡而失其紀，其妾告之，怒棄之。夫亡者，豈斯人知其過哉？」（《說苑》〈權謀〉）

好戰必亡，忘戰必危

　　《司馬法》記載說：「國家雖然強大，好戰一定滅亡；天下雖然安定，忘記戰備一定危險。」《易經》上說：「君子要修整武器，以備不測。」戰爭是不可以輕易發動的，輕易發動戰爭就沒有威力；武裝也不能輕易廢除，廢除了武裝就會招來敵寇。從前吳王夫差好戰而亡國，徐偃王放棄武備也被消滅。所以聖明的君王治理國家，既不輕

易發動戰爭，也不忘記戰備。《易經》上說：「生存時牢記危亡，才能保證家國的安全。」

【出處】

　　《司馬法》曰：「國雖大，好戰必亡；天下雖安，忘戰必危。」《易》曰：「君子以除戎器，戒不虞。」夫兵不可玩，玩則無威；兵不可廢，廢則召寇。昔吳王夫差好戰而亡，徐偃王無武亦滅。故明王之制國也，上不玩兵，下不廢武。《易》曰：「存不忘亡，是以身安而國家可保也。」（《說苑》〈指武〉）

越國卷

　　越國是華夏族在中國東南方建立的諸侯國，子爵，其始祖為夏朝君主少康庶子無余，是大禹的直系後裔，姒姓。越國前期的核心統治區域在今浙江紹興、金華周邊地區。西元前四七三年，越王勾踐滅吳，勢力範圍一度北達齊魯，東瀕東海，西達今皖淮、贛鄱，雄踞東南，取代吳國成為霸主。西元前三〇六年，越王無疆率兵伐楚，戰敗被殺，楚懷王滅越後設江東郡。少康卒於西元前一九一二年，設無余於此年受封，至前三〇六年無疆為楚所滅，則越國共傳四十八君、一千六百〇六年。越國史上最勵志的故事是越王勾踐的「十年生聚、十年教訓」。范蠡、文種則為越國名臣。

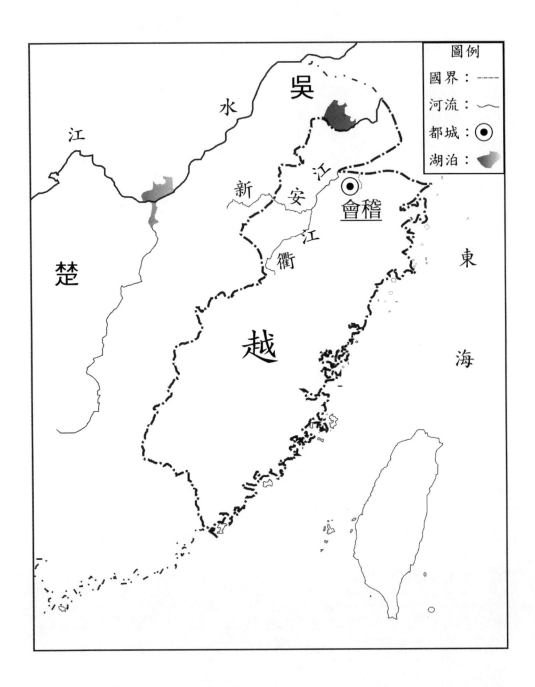

夏后帝啟

　　舜帝向天下人推薦禹，宣稱立他為帝位的繼承人。十七年之後，舜帝去世。服喪三年完畢，禹提出帝位應該由舜的兒子商均來繼承，於是自己躲到陽城。但天下諸侯都不認可商均，而來朝拜禹。禹這才繼承天子之位，南面接受天下諸侯的朝拜，取國號為夏后，姓姒氏。禹立為天子後，指認皋陶為帝位繼承人，把他推薦給天下，並讓他主管國政。不幸皋陶早死，禹把皋陶的後代封於英、六、許三地。隨後又舉用益，讓他主持國政。過了十年，禹帝到東方視察，到達會稽時，病逝在那裡。益接受帝位，服喪三年完畢，再把帝位讓給禹的兒子啟，自己躲到箕山之南。禹的兒子啟非常賢德，天下人心都歸順於他。禹逝世時雖然把帝位禪讓給益，但因為益輔佐禹的時間不長，諸侯並不順服他，仍然繞開益去朝拜啟，於是啟就繼承了天子之位，這就是夏后帝啟。

【出處】

　　帝舜薦禹於天，為嗣。十七年而帝舜崩。三年喪畢，禹辭辟舜之子商均於陽城。天下諸侯皆去商均而朝禹。禹於是遂即天子位，南面朝天下，國號曰夏后，姓姒氏。帝禹立而舉皋陶薦之，且授政焉，而皋陶卒。封皋陶之後於英、六，或在許。而後舉益，任之政。十年，帝禹東巡狩，至於會稽而崩。以天下授益。三年之喪畢，益讓帝禹之子啟，而辟居箕山之陽。禹子啟賢，天下屬意焉。及禹崩，雖授益，益之佐禹日淺，天下未洽。故諸侯皆去益而朝啟，曰「吾君帝禹之子

也」。於是啟遂即天子之位，是為夏后帝啟。（《史記》〈夏本紀〉）

天下無道，罪及善人

大禹和益南巡到蒼梧山考察時，看到一個被捆綁的犯人，禹竟下車撫摸著那人的背哭了。益說：「壞人犯了法，就應該受處罰，您為什麼為他哭泣呢？」禹說：「天下政治清明，民眾就不會犯罪；天下政治黑暗，好人也難免受刑。我聽說一個男子不耕種，天下就有人因此挨餓；一個女子不採桑養蠶，天下就有人因此受凍。我為舜帝治理水土，調理民眾安居樂業，以使他們各得其所。現在卻有犯法的人。這是我德行淺薄、不能感化民眾的證明啊，所以我才為他哀傷哭泣！」

【出處】

南到計於蒼梧，而見縛人，禹拊其背而哭。益曰：「斯人犯法，自合如此，哭之何也？」禹曰：「天下有道，民不罹辜；天下無道，罪及善人。吾聞，一男不耕，有受其饑；一女不桑，有受其寒。吾為帝統治水土，調民安居，使得其所，今乃罹法如斯，此吾得薄，不能化民證也。故哭之悲耳。」（《吳越春秋》〈越王無余外傳〉）

同為一秀

周成王的時候，有三株禾苗穿透桑樹生長出來，共同開出一枝禾

花，其大小差不多可以裝滿一輛車，長度差不多等於一輛車箱。成王問周公說：「這是什麼東西？」周公說：「三株禾苗長出一枝禾花，說明天下將合為一體啊。」三年過後，果然有越裳氏的使者不遠萬里而來，向周公獻上白雉，幫他翻譯的人說：「路途遙遠，山高水深，我們唯恐使節不能表達我們的心意，所以專程來此。」周公說：「為什麼要送給我呢？」幫助翻譯的人說：「我們國家的長者說：『有三年老天爺沒有刮暴風急雨，大海沒有掀驚濤駭浪了，大概是中原出了聖人吧，為什麼不去朝拜呢？』於是就趕來了。」

【出處】

成王之時，有三苗貫桑而生，同為一秀，大幾滿車，長幾充箱。成王問周公曰：「此何物也？」周公曰：「三苗同一秀，意者天下殆同一也。」比幾三年，累有越裳氏重九譯而至，獻白雉於周公：「道路悠遠，山川幽深，恐使人之未達也，故重譯而來。」周公曰：「吾何以見賜也？」譯曰：「吾受命國之黃髮曰：『久矣！天之不迅風疾雨也，海不波溢也，三年於茲矣！意者中國殆有聖人，盍往朝之！』於是來也。」周公乃敬求其所以來。（《韓詩外傳》）

冠掛不顧，履遺不躡

　　越國最早的君主無余，是夏禹王的後代封君。禹的父親鯀是顓頊高陽氏的後代。鯀娶有莘氏的女兒為妻，名叫女嬉。女嬉年過三十還沒有生孩子，有一天到砥山遊玩，採得薏米吞食，竟然有所感應，後

來就懷孕了。懷孕期滿，分娩時剖開腋下的肋骨才生下禹。鯀落戶在西羌一個名叫石紐的地方，它位於蜀地的西川。堯帝的時候，四方諸侯之長推舉鯀治理洪水，鯀在職九年，治水卻沒有成效。堯帝憤怒地說：「我早就知道他沒這個能耐。」於是另外訪求人才，得到舜，就讓他代行天子的政務。舜到各地視察工作，看到鯀治水無效，就把他流放到羽山。鯀投水自殺，其靈魂變成了黃熊，成為羽淵之神。舜和四方諸侯之長推舉鯀的兒子禹繼續治水。禹傷心父親的使命沒有完成，於是對長江、黃河、濟水、淮河四大水系詳加考察。辛勤奔波七年，謝絕歌舞娛樂，三過家門而不入，忙到帽子被樹枝掛住也顧不上回頭看一眼，鞋子被草叢絆住光著腳丫繼續前行，但水患的治理仍未成功。在深深的憂慮之中，他查看了《黃帝中經歷》，登上衡山，殺白馬祭祀山神，歷經坎坷，終於在天柱山下得到金簡天書，從而悟出了疏通洪水的道理。禹帶著益、夔乘坐各種交通工具在三山五嶽和四大水系之間穿行，每到名山水澤，禹就召喚當地的神靈相見，向他們詢問山川的脈象，各種珍奇珠寶的蘊藏，鳥獸昆蟲的種類以及人文風俗，各國的地理狀況等，讓益分別條目予以記載，變成了《山海經》。

【出處】

越之前君無余者，夏禹之末封也。禹父鯀者，帝顓頊之後。鯀娶於有莘氏之女，名曰女嬉。年壯未孳。嬉於砥山得薏苡而吞之，意若為人所感，因而妊孕，剖脅而產高密。家於西羌，地曰石紐。石紐在蜀西川也。帝堯之時，遭洪水滔滔，天下沉漬，九州閼塞，四瀆壅閉。帝乃憂中國之不康，悼黎元之罹咎。乃命四嶽，乃舉賢良，

將任治水。自中國至於條方，莫薦人。帝靡所任，四嶽乃舉鯀而薦之於堯。帝曰：「鯀負命毀族，不可。」四嶽曰：「等之群臣，未有如鯀者。」堯用治水，受命九載，功不成。帝怒曰：「朕知不能也。」乃更求之，得舜，使攝行天子之政，巡狩。觀鯀之治水無有形狀，乃殛鯀於羽山。鯀投於水，化為黃能，因為羽淵之神。舜與四嶽舉鯀之子高密。四嶽謂禹曰：「舜以治水無功，舉爾嗣，考之勳。」禹曰：「俞，小子敢悉考績，以統天意。惟委而已。」禹傷父功不成，循江，溯河，盡濟，甄淮，乃勞身焦思以行，七年，聞樂不聽，過門不入，冠掛不顧，履遺不躡。功未及成，愁然沉思。乃案《黃帝中經歷》，蓋聖人所記曰：在於九山東南天柱，號曰宛委，赤帝在闕。其岩之巔，承以文玉，覆以磐石，其書金簡，青玉為字，編以白銀，皆璩其文。禹乃東巡，登衡嶽，血白馬以祭，不幸所求。禹乃登山仰天而嘯，因夢見赤繡衣男子，自稱玄夷蒼水使者，聞帝使文命於斯，故來候之。「非厥歲月，將告以期，無為戲吟。」故倚歌覆釜之山，東顧謂禹曰：「欲得我山神書者，齋於黃帝岩嶽之下三月，庚子登山發石，金簡之書存矣。」禹退又齋三月，庚子登宛委山，發金簡之書。案金簡玉字，得通水之理。復返歸嶽，乘四載以行川。始於霍山，徊集五嶽，《詩》云：「信彼南山，惟禹甸之。」[1]遂巡行四瀆。與益、夔共謀，行到名山大澤，召其神而問之山川脈理、金玉所有、鳥獸昆蟲之類，及八方之民俗、殊國異域、土地里數：使益疏而記之，故名之曰《山海經》。（《吳越春秋》〈越王無余外傳〉）

---

1. 「信彼南山，惟禹甸之」，出自《詩經》〈小雅・信南山〉。

專心守國

　　禹帝以下第六代少康在位。少康擔心禹帝的祭祀斷絕，就將自己的一個庶子封在越國，號稱無余。無余受封之初，越地的人民都居住在山丘上，雖然有百鳥幫助耕種的便利，但所有的租貢僅夠維持宗廟祭祀的費用。於是無余率領民眾擴大耕種面積，同時以打獵增加食物供給。無余非常樸素，跟百姓們住在一起，生活一點也不講究，每年春秋兩季上會稽山祭祀禹帝墓。無余之後，王位延續了十幾代，因為君主的懦弱無能，不能自立，淪為普通百姓，禹帝的祭祀也因而中斷。十多年之後，有個生下來就能說話、說話像鳥語的人指著天對禹帝墓說：「我是無余國君的後代，我將要重整先君的祭祀，恢復對禹墓的祭祀。為民眾向上天祈福，以暢通鬼神的道路。」這個自稱無余後裔的人名叫無壬，無壬的兒子名叫無瞫，無瞫之後是夫譚，夫譚生元常，與吳王壽夢、諸樊、闔閭大致同時，越國霸業的興起就從元常開始了。

【出處】

　　禹以下六世而得帝少康。少康恐禹祭之絕祀，乃封其庶子於越，號曰無余。余始受封，人民山居，雖有鳥田之利，租貢才給宗廟祭祀之費。乃復隨陵陸而耕種，或逐禽鹿而給食。無余質樸，不設宮室之飾，從民所居。春秋祠禹墓於會稽。無余傳世十餘，末君微劣，不能自立，轉從眾庶為編戶之民，禹祀斷絕。十有餘歲，有人生而言語，其語曰鳥禽呼：嚛喋嚛喋。指天向禹墓曰：「我是無余君之苗末，我

方修前君祭祀，復我禹墓之祀，為民請福於天，以通鬼神之道。」眾民悅喜，皆助奉禹祭，四時致貢，因共封立，以承越君之後，復夏王之祭，安集鳥田之瑞，以為百姓請命。自後稍有君臣之義，號曰無壬。壬生無瞫，瞫專心守國，不失上天之命。無瞫卒，或為夫譚。夫譚生元常，常立，當吳王壽夢、諸樊、闔閭之時。越之興霸自元常矣。（《吳越春秋》〈越王無余外傳〉）

縶起死人而肉白骨

　　吳王夫差起兵攻打越國，越王勾踐率軍迎敵。越國大夫文種向越王獻計說：「吳國與越國的存亡聽憑天意，大王不用再打下去了。那申胥、華登二人選拔吳人教習作戰，還從來沒打過敗仗。一人擅射，就會有百人倣效，越國一時想戰勝吳國很難。貿然應戰，只會白白送命。大王不如設兵駐守會稽，而後派人以卑下的言辭去求和，以這種做法助長吳國人的驕傲和吳王稱霸諸侯的野心。我們用占卜求問上天的旨意，上天拋棄吳國，一定會使求和成功的。等到吳國百姓被戰爭拖得疲憊不堪，上天降災使他們糧食歉收，那時越國就可以來收拾殘局，吳國得不到上天的保佑，非亡國不可。」越王同意文種的計謀，派大夫諸稽郢去向吳王求和說：「當初越國遭到災禍，在檇李之戰得罪了天王。天王大駕親征討伐越國，最終寬恕了勾踐。君王對於越國的恩德，就好比令死人復活而使枯骨生肉啊。勾踐時刻銘記著君王的大恩大德，斷然不會計較兩國邊境上的一些小的怨恨，再次得罪部下的。勾踐於是率領幾個老臣，到邊境上向您叩頭謝罪來了。越國本來

就是向天王稱臣納貢的城邑，天王應該拿鞭子狠狠教訓我們，而不應該興師動眾像防禦敵寇一樣來征討。我勾踐知罪，請求締結盟約，願意以嫡妻所生的女兒，讓她手執箕帚打掃王宮侍候您，做您的小妾；我嫡妻所生的兒子，讓他手捧盥洗用具侍候您，做您的小臣；我們對您，一定會按諸侯對待天子的禮制來進獻貢賦。諺語說：『狐狸埋藏的東西，狐狸發掘出來，算不上有成效。』天王既然扶植越國，英名遠播，卻又來滅亡它，豈不是抹殺了天王的成就？而且各國諸侯想像越國一樣，臣事吳國，又該拿誰來做榜樣呢？勾踐派下臣來冒昧懇請誠意，希望天王根據利弊和禮義來作出決斷。」

【出處】

　　吳王夫差起師伐越，越王句踐起師逆之。大夫種乃獻謀曰：「夫吳之與越，唯天所授，王其無庸戰。夫申胥、華登簡服吳國之士於甲兵，而未嘗有所挫也。夫一人善射，百夫決拾，勝未可成也。夫謀必素見成事焉，而後履之，不可以授命。王不如設戎，約辭行成，以喜其民，以廣侈吳王之心。吾以卜之於天，天若棄吳，必許吾成而不吾足也，將必寬然有伯諸侯之心焉。既罷弊其民，而天奪之食，安受其燼，乃無有命矣。」越王許諾，乃命諸稽郢行成於吳，曰：「寡君勾踐使下臣郢不敢顯然布幣行禮，敢私告於下執事曰：『昔者越國見禍，得罪於天王。天王親趨玉趾，以心孤勾踐，而又宥赦之。君王之於越也，繄起死人而肉白骨也。孤不敢忘天災，其敢忘君王之大賜乎。今勾踐申禍無良，草鄙之人，敢忘天王之大德，而思邊垂之小怨，以重得罪於下執事。勾踐用帥二三之老，親委重罪，頓顙於邊。今君王不察，盛怒屬兵，將殘伐越國。越國固貢獻之邑也，君王不以

鞭箠使之，而辱軍士使寇令焉。勾踐請盟：一介嫡女，執箕掃以晐姓于王宮。一介嫡男，奉槃匜以隨諸御。春秋貢獻，不解於王府。天王豈辱裁之。亦征諸侯之禮也。」夫諺曰：『狐埋之而狐搰之，是以無成功。』今天王既封植越國，以明聞於天下，而又刈亡之，是天王之無成勞也。雖四方之諸侯，則何實以事吳？敢使下臣盡辭，唯天王秉利度義焉。」（《國語》〈吳語〉）

焚舟失火

越王勾踐喜歡勇猛的將士，訓練將士時，先把部隊集合起來，然後放火燒船，接著對將士們說：「越國的財寶都在這條船上！」越王親自擂鼓，讓將士們前進。將士們聽到鼓聲，爭先恐後跳入船中，蹈火而死的將士有一百多人。越王於是鳴金讓他們退下。

【出處】

昔越王勾踐好士之勇，教馴其臣，和合之，焚舟失火，試其士曰：「越國之寶盡在此！」越王親自鼓其士而進之。其士聞鼓音，破碎亂行，蹈火而死者，左右百人有餘，越王擊金而退之。（《墨子》〈兼愛中〉）

積著之理

越王勾踐被圍困在會稽山上，曾問計於范蠡、計然。計然說：

積著之理

「知道要打仗，就要做好戰備；瞭解貨物的時效和功用，才算瞭解商品貨物。懂得時節變換與貨物功用的對照，那麼各種貨物的供需行情就能瞭如指掌。一般來說，歲在金時，就豐收；歲在水時，就歉收；歲在木時，就饑饉；歲在火時，就乾旱。乾旱的時候要準備船隻防澇，發生洪澇時要準備水車應對乾旱，這樣做才符合常理。六年一豐年，六年一旱年，十二年必然遭遇一次大饑荒。出售糧食，每斗價格二十農民就受傷害，每斗價格九十商人就受損失。商人受損，錢財就不能流通；農民受害，田地就會荒蕪。糧價每斗價格最高不超過八十，最低不少於三十，這樣農民和商人都能得利。平抑糧食和其他重要商品的物價，關卡稅收和市場供應就不會缺乏，這是治國之道。積貯貨物，最重要的是商品要完好無損，貨幣要處於流通之中。買賣貨物，容易腐敗的物品和食品切忌久留，不要囤居貨物以求高價。要注意研究商品過剩或短缺的情況，從中判斷物價漲跌的趨勢。物價貴到極點就會轉而走低；物價賤到極點必然觸底反彈。在貨物的價格處於高點時，要像傾倒糞土一樣大量出貨；當貨物處於低點時，要像珠玉珍寶一樣及時購進。貨物錢幣的流通都必須像流水一樣保持順暢。」勾踐按照計然的策略治國十年，越國富有了，將士得到厚賞，衝鋒陷陣，一往無前，終於報仇雪恥，滅亡吳國，繼而逞威於中原，號稱「五霸」之一。

【出處】

　　昔者越王勾踐困於會稽之上，乃用范蠡、計然。計然曰：「知斗則修備，時用則知物，二者形則萬貨之情可得而觀已。故歲在金，穰；水，毀；木，饑；火，旱。旱則資舟，水則資車，物之理也。六

歲穰，六歲旱，十二歲一大饑。夫糶，二十病農，九十病末。末病則財不出，農病則草不辟矣。上不過八十，下不減三十，則農末俱利，平糶齊物，關市不乏，治國之道也。積著之理，務完物，無息幣。以物相貿易，腐敗而食之貨勿留，無敢居貴。論其有餘不足，則知貴賤。貴上極則反賤，賤下極則反貴。貴出如糞土，賤取如珠玉。財幣欲其行如流水。」修之十年，國富，厚賂戰士，士赴矢石，如渴得飲，遂報強吳，觀兵中國，稱號「五霸」。（《史記》〈貨殖列傳〉）

孤之大願

　　會稽戰敗，越王深感痛苦。為了贏得民心以求與吳國決一死戰，越王放棄了一切享樂，對內籠絡群臣，對下體恤百姓，甚至夫妻與百姓一道男耕女織。他還時常出外巡視，隨從的車輛裝載大量食品，去探望鰥寡孤獨、老弱病殘。很快越國開始民心歸順，越王召集諸大夫說：「就請老天爺來決斷吳國與越國的生死存亡吧。我將與將士們一起同生死、共命運。如果吳越彼此同歸於盡，大夫們競相戰死，我與吳王頸臂相交肉搏而亡，這是我最大的願望。如果越國的實力不足以戰勝吳國，諸侯各國不肯站在我們一邊，我將放棄君位，告別群臣，身帶佩劍，手執利刃，改變容貌，更換姓名，前往吳國充當僕役，執箕帚侍奉吳王，以便有朝一日與吳王一決生死。我知道這樣做非常危險，有可能橫遭腰斬，身首異處，被天下人所羞辱，但我的志向已定，一定要付諸實施。」後來越國與吳國在五湖決戰，吳軍大敗，越國軍隊進而包圍了吳王王宮，攻破城池，活捉夫差，殺死了吳相。滅

掉吳國兩年之後，越國稱霸諸侯。這都是順應民心的結果啊！

【出處】

越王苦會稽之恥，欲深得民心，以致必死於吳。身不安枕席，口不甘厚味，目不視靡曼，耳不聽鐘鼓。三年苦身勞力，焦脣乾肺，內親群臣，下養百姓，以來其心。有甘脆不足分，弗敢食；有酒流之江，與民同之。身親耕而食，妻親織而衣。味禁珍，衣禁襲，色禁二。時出行路，從車載食，以視孤寡老弱之潰病、困窮、顏色愁悴、不贍者，必身自食之。於是屬諸大夫而告之曰：「願一與吳徼天下之衷。今吳、越之國相與俱殘，士大夫履肝肺，同日而死，孤與吳王接頸交臂而僨，此孤之大願也。若此而不可得也，內量吾國不足以傷吳，外事之諸侯不能害之，則孤將棄國家，釋群臣，服劍臂刃，變容貌，易姓名，執箕帚而臣事之，以與吳王爭一旦之死。孤雖知要領不屬，首足異處，四枝布裂，為天下戮，孤之志必將出焉！」於是異日果與吳戰於五湖，吳師大敗，遂大圍王宮，城門不守，禽夫差，戮吳相，殘吳二年而霸。此先順民心也。（《呂氏春秋》〈季秋紀・順民〉）

遂其所執

會稽戰敗之後，越王攜夫人到吳國俯首稱臣。拜見夫差時，他下跪磕頭說：「東海邊上的卑賤之臣勾踐，上愧皇天，下負社稷，不自量力，污辱了大王的戰士，在吳越邊境犯下罪孽。大王赦免我的罪過，裁決我做個差役小臣，讓我拿著畚箕掃帚來打掃庭院。承蒙大王

的恩惠，得以保住短暫的生命，真的是感激不盡、慚愧不已。臣下勾踐謹向大王叩頭頓首！」吳王夫差說：「我對你似乎也過分了些，但你還記得殺死我父王的往事嗎？」越王說：「我如果戰死，也就一了百了，希望大王原諒我。」伍子胥站在旁邊，兩眼噴火，聲如雷霆，上前勸諫說：「鳥兒飛翔在青雲之上，人們尚且要以拴著絲線的小箭去射擊牠，更何況牠已經棲息於宮中的華池、停留在堂前的走廊上了呢？越王一直恣意橫行於會稽山一帶，如今僥倖踏入我們的國土，進入我們的柵欄。這正是廚師備辦大餐的時候，怎麼能輕易放棄呢？」吳王搖頭說：「我聽說誅殺投降歸服的人，災禍會延及三代。我並非因為喜歡越王而不殺他，而是怕上天的責怪，所以嚴加教訓而赦免他。」太宰嚭勸諫說：「子胥只明白暫時的權宜之計，不懂得治國安邦之道。希望大王堅持自己的主意，不要被群小的胡言亂語左右。」夫差於是饒恕越王，讓他待在宮中駕車養馬。

【出處】

於是入吳，見夫差稽首再拜稱臣，曰：「東海賤臣勾踐，上愧皇天，下負后土，不裁功力，污辱王之軍士，抵罪邊境。大王赦其深辜，裁加役臣，使執箕帚。誠蒙厚恩，得保須臾之命，不勝仰感俯愧。臣勾踐叩頭頓首。」吳王夫差曰：「寡人於子亦過矣。子不念先君之仇乎？」越王曰：「臣死則死矣，惟大王原之。」伍胥在旁，目若熛火，聲如雷霆，乃進曰：「夫飛鳥在青雲之上，尚欲繳微矢以射之，豈況近臥於華池，集於庭廡乎？今越王放於南山之中，游於不可存之地，幸來涉我壤土，入吾樵捆，此乃廚宰之成事食也，豈可失之乎？」吳王曰：「吾聞誅降殺服，禍及三世。吾非愛越而不殺也，畏

皇天之咎教而赦之。」太宰嚭諫曰：「子胥明於一時之計，不通安國之道。願大王遂其所執，無拘群小之口。」夫差遂不誅越王，令駕車養馬，秘於宮室之中。（《吳越春秋》〈勾踐入臣外傳〉）

飲溲食惡

　　吳王生病，三個月沒有痊癒。越王走出石屋，召見范蠡說：「我現在是吳王的臣子，按理說，應該為君主的病情擔憂。你給預測一下，告訴我接下來該怎麼做。」范蠡說：「吳王不會有生命之憂，到己巳日病情會逐漸好轉。」越王說：「具體告訴我該怎麼辦呢？」范蠡說：「大王可以主動去探望。如果見到吳王，可以求取他的糞便嘗嘗，再察看他的臉色，最後向他表示祝賀，並告訴他病情好轉起床的確切日子。如果您的預言被證實，到時大王還擔憂什麼呢？」越王於是向太宰嚭請示說：「囚臣想拜見吳王，問候一下病情。」太宰嚭就去報告吳王。吳王答應見他。正好碰上吳王大便，太宰嚭捧著吳王的尿盆出來，越王作揖行禮說：「讓我嘗一下大王的糞便，借此判斷大王病情的吉凶。」便用手取過吳王的糞便嘗了一下，而後進去說：「囚臣勾踐來向大王祝賀！大王的疾病到己巳日就會好轉，到三月壬申日就會痊癒。」吳王說：「憑什麼說我的病到三月壬申日會痊癒呢？」越王說：「下臣曾經向聞糞的人請教，糞便因循穀物的味道，與季節氣味相逆就會死，與季節氣味一致就能活。剛才我私下嘗了一下大王的糞便，大便的味道又苦又辣又酸。這種味道，是順應春、夏季節氣味的，因此知道大王的病會在三月壬申日痊癒。」吳王十分高

興說：「你真是個仁慈的人。」於是就赦免越王，讓他從石屋裡搬出來，住到自己的王宮裡，仍然做掌管養馬的工作。自從嘗了吳王的糞便之後，越王就落下口臭的毛病。范蠡於是命令身邊的侍從都吃岑草，以此來混淆大家的口味。

【出處】

　　後一月，越王出石室，召范蠡曰：「吳王疾，三月不癒。吾聞人臣之道，主疾臣憂，且吳王遇孤恩甚厚矣。疾之無瘳，惟公卜焉。」范蠡曰：「吳王不死明矣，到己巳日當瘳，惟大王留意。」越王曰：「孤所以窮而不死者，賴公之策耳，中復猶豫，豈孤之志哉？可與不可，惟公圖之。」范蠡曰：「臣竊見吳王，真非人也。數言成湯之義，而不行之。願大王請求問疾，得見，因求其糞而嘗之，觀其顏色，當拜賀焉，言其不死，以瘳起日期之既言信後，則大王何憂？」越王明日謂太宰嚭曰：「囚臣欲一見問疾。」太宰嚭即入言於吳王，王召而見之。適遇吳王之便，太宰嚭奉溲惡以出，逢戶中。越王因拜：「請嘗大王之溲，以決吉凶。」即以手取其便與惡而嘗之。因入曰：「下囚臣勾踐賀於大王，王之疾至己巳日有瘳，至三月壬申病癒。」吳王曰：「何以知之？」越王曰：「下臣嘗事師，聞糞者順穀味，逆時氣者死，順時氣者生。今者臣竊嘗大王之糞，其惡味苦且楚酸。是味也，應春夏之氣。臣以是知之。」吳王大悅，曰：「仁人也。」乃赦越王得離其石室，去就其宮室，執牧養之事如故。越王從嘗糞惡之後，遂病口臭。范蠡乃令左右皆食岑草，以亂其氣。（《吳越春秋》〈勾踐入臣外傳〉）

越王歸國

　　吳王的病如期痊癒，非常高興，於是在文臺大擺宴席，並為越王安排了向北的座位，讓各位大臣以賓客之禮對待越王。伍子胥見此情景拂袖而去，沒有參加當晚的宴會。第二天，伍子胥入宮向吳王進諫，讓他警惕越王隱忍欺騙的假象。吳王說：「相國不要再說了，寡人不想再聽。」於是釋放越王回國，並親自送到都城南面的蛇門之外，群臣也隨同吳王為越王餞行。吳王對越王說：「我今天寬恕你，讓你返回越國，你可一定要記住我的這份情意啊！」越王伏地磕頭說：「大王可憐我的孤苦困厄，使我能活著回到越國。我與文種、范蠡之輩，心甘情願永遠為大王盡忠效死。蒼天在上，我不敢忘恩負義。」吳王說：「好啊，君子一言為定。你走吧，請你自勉。」越王再次跪拜在地，吳王扶起越王，讓他上車。范蠡執鞭駕車而去。來到三江口的渡口邊，越王仰望天空嘆息說：「唉！我遭遇厄難，誰能想到可以活著再次經過這個渡口呢！」又對范蠡說：「今天是三月甲辰日，時辰是太陽偏西的未時。我秉承上天的意志返回故鄉。今後該不會還有禍患吧？」范蠡說：「大王不必疑慮。大步向前走吧。越國將會得福，吳國將會遭遇禍殃。」不久來到浙江邊上，遠望越國，山河重現秀麗，天地再顯清明。越王和夫人嘆息說：「我們早已絕望，以為上次就是與越國百姓的訣別，哪裡想到能重回故土，再建家園。」說完掩面而泣，熱淚縱橫。越國的百姓聽說越王歸國，無不歡欣鼓舞，大臣們也紛紛來慶賀。

【出處】

　　其後，吳王如越王期日疾愈，心念其忠，臨政之後，大縱酒於文臺。吳王出令曰：「今日為越王陳北面之坐，群臣以客禮事之。」伍子胥趨出到舍上，不御坐。酒酣，太宰嚭曰：「異乎！今日坐者各有其詞，不仁者逃，其仁者留。臣聞同聲相和，同心相求。今國相剛勇之人，意者內慚？至仁之存也，而不御坐，其亦是乎？」吳王曰：「然。」於是范蠡與越王俱起為吳王壽，其辭曰：「下臣勾踐從小臣范蠡，奉觴上千歲之壽，辭曰：皇在上令，昭下四時，並心察慈，仁者大王。躬親鴻恩，立義行仁。九德四塞，威服群臣。於乎休哉，傳德無極上感太陽，降瑞翼翼。大王延壽萬歲，長保吳國。四海咸承，諸侯賓服。觴酒既升，永受萬福！」於是吳王大悅。……於是遂赦越王歸國，送於蛇門之外，群臣祖道。吳王曰：「寡人赦君使其返國，必念終始。王其勉之。」越王稽首曰：「今大王哀臣孤窮，使得生全還國，與種、蠡之徒願死於轂下。上天蒼蒼，臣不敢負。」吳王曰：「嗟乎！吾聞君子一言不再。今已行矣，王勉之。」越王再拜跪伏，吳王乃引越王登車，范蠡執御，遂去。至三津之上，仰天嘆曰：「嗟乎！孤之屯厄，誰念復生渡此津也？」謂范蠡曰：「今三月甲辰，時加日昳，孤蒙上天之命，還歸故鄉，得無後患乎？」范蠡曰：「大王勿疑，直視道行。越將有福，吳當有憂。」至浙江之上，望見大越山川重秀，天地再清。王與夫人嘆曰：「吾已絕望，永辭萬民，豈料再還，重複鄉國。」言竟掩面，涕泣闌干。此時萬姓咸歡，群臣畢賀。（《吳越春秋》〈勾踐入臣外傳〉）

臥薪嘗膽

　　越王日夜思報吳國之仇，知道這不是一朝一夕的事。他苦身勞心，夜以繼日地讀書與工作。眼睛困了，就用辣蓼的辛香刺激；腳板寒冷，就用冷水浸泡提神。數九寒冬常常抱著冰塊，炎炎夏日反而手握火爐。為保持憂患和磨礪自己的意志，還把苦膽掛在房門口，進出房門都要用舌頭舔它。半夜常常暗自啜泣，哭罷又仰天長嘯。於是大臣們都說：「大王何至於憂心忡忡到這種地步呢？報仇雪恨並不是只能由國君一人來承擔，這也是臣下們的當務之急啊。」越王說：「吳王喜歡穿寬鬆的衣服，我想派人上山採葛，讓女工織成精細的麻布獻給他，以此求得吳王的歡心，大家覺得如何？」大臣們都表示贊同。於是下令全國男女上山採葛，加工織成黃色的麻布獻給吳王。吳王聽說後，覺得越王安分守己，於是想繼續加封越國的土地。越王就派大夫文種送去葛布十萬匹，以及蜂蜜、竹器、狸皮、箭竹等作為答謝。吳王說：「一直以為越國偏僻狹小，沒有什麼珍寶，現在他們進貢的物品也很豐厚啊。這是越王小心謹慎、念念不忘吳國功德的表現啊。」於是再次增加越國的封地，還賜給越王用羽毛裝飾的旌旗、機弩兵器和諸侯的服飾。越國人舉國歡慶。

【出處】

　　越王念復吳仇非一旦也，苦身勞心，夜以接日。目臥，則攻之以蓼；足寒，則漬之以水。冬常抱冰，夏還握火。愁心苦志，懸膽於戶，出入嘗之，不絕於口。中夜潛泣，泣而復嘯。於是群臣咸曰：「君王何愁心之甚？夫復仇謀故，非君王之憂，自臣下急務也。」越

王曰：「吳王好服之離體，吾欲采葛，使女工織細布獻之，以求吳王之心，於子何如？」群臣曰：「善。」乃使國中男女入山采葛，以作黃絲之布。欲獻之，未及遣使，吳王聞越王盡心自守，食不重味，衣不重彩，雖有五臺之游，未嘗一日登玩。「吾欲因而賜之以書，增之以封，東至於勾甬，西至於檇李，南至於姑末，北至於平原，縱橫八百餘里。」越王乃使大夫種索葛布十萬，甘蜜九黨，文笥七枚，狐皮五雙，晉竹十廋，以復封禮。吳王得之曰：「以越僻狄之國無珍，今舉其貢貨而以復禮，此越小心念功，不忘吳之效也。夫越本興國千里，吾雖封之，未盡其國。」子胥聞之，退臥於舍，謂侍者曰：「吾君失其石室之囚，縱於南林之中，今但因虎豹之野而與荒外之草，於吾之心，其無損也？」吳王得葛布之獻，乃復增越之封，賜羽毛之飾、機杖、諸侯之服。越國大悅。（《吳越春秋》〈勾踐歸國外傳〉）

苦之詩

有個採葛女子，有感於越王討好吳王用心良苦，就作了一首《苦之詩》描述這件事，詩中說：「葛不連蔓兩相苦，我君心苦更甚之。嘗膽勵志甜如蜜，令我采葛製作絲，女工織布不敢遲。宛如綢緞輕霏霏，殷勤奉獻吳王室。越王慶幸得寬恕，吳王歡欣寄答辭。增封良地和玩好，另有兵器和服飾。群臣歡舞全民樂，我王從此無憂思。」

【出處】

采葛之婦，傷越王用心之苦，乃作《苦之詩》，曰：「葛不連蔓

茶台台，我君心苦命更之。嘗膽不苦甘如飴，令我采葛以作絲。女工織兮不敢遲。弱於羅兮輕霏霏，號絺素兮將獻之。越王悅兮忘罪除，吳王歡兮飛尺書。增封益地賜羽奇，機杖茵褥諸侯儀。群臣拜舞天顏舒，我王何憂能不移？」（《吳越春秋》〈勾踐歸國外傳〉）

帶甲之勇

　　越王勾踐拜八位大臣和四位朋友為師，經常向他們請教施政治國之道。大夫文種說：「只要真正做到愛民就可以了。」越王說：「怎樣愛民呢？」文種說：「使他們得利而不要傷害他們，使他們成功而不要挫敗他們，使他們安心生活而不要殘殺他們，多給他們好處而不要掠奪他們。」越王說：「請解釋一下。」文種說：「不掠奪民眾喜歡的東西，就是使他們得利；不違農時，就有助於他們成功；寬刑減罰，人民就能安心生活；減輕稅收，等於給予民眾好處；不要大造樓臺館榭去遊玩，人民就會輕鬆快樂；讓人民生活安定不去騷擾他們，他們就會充滿喜悅。我聽說，善於治國的人，對待民眾就像父母愛護子女、兄長愛護弟弟。聽說他們饑寒交迫，就為他們哀傷；看到他們疲勞困苦，就為他們悲痛。」越王於是寬刑減罰、減少稅收。人民逐漸殷實富足，都有身穿鎧甲上陣殺敵的英勇氣概。

【出處】

　　越王遂師八臣與其四友，時問政焉。大夫種曰：「愛民而已。」越王曰：「奈何？」種曰：「利之無害，成之無敗，生之無殺，與之

無奪。」越王曰:「願聞。」種曰:「無奪民所好則利也,民不失其時則成之,省刑去罰則生之,薄其賦斂則與之,無多臺游則樂之,靜而無苛則喜之;民失所好則害之,農失其時則敗之,有罪不赦則殺之,重賦厚斂則奪之,多作臺游以罷民則苦之,勞擾民力則怒之,臣聞善為國者遇民如父母之愛其子,如兄之愛其弟。聞有饑寒為之哀,見其勞苦為之悲。」越王乃緩刑薄罰,省其賦斂,於是人民殷富,皆有帶甲之勇。(《吳越春秋》〈勾踐歸國外傳〉)

破吳九術

越王勾踐聽從年輕官員計然的建議,向大夫文種請教怎樣才能戰勝吳國而報仇雪恨。文種說:「我聽說高飛之鳥,死於美食;深泉之魚,死於芳餌。現在要攻打吳國,先要找到吳王喜歡的東西,然而投其所好,才能達到目的。」越王說:「怎樣才能投其所好達到戰勝吳國的目的呢?」文種說:「想要報仇雪恨、戰勝吳國,有九種辦法。」越王說:「是哪九種辦法呢?」文種說:「商湯、周文王運用這九種辦法成就王業,齊桓公、秦穆公運用它們成就霸業,用對這九計攻城略地比脫鞋子還容易。第一是尊天事鬼求得他們的保佑;第二是以厚禮賄賂敵國的國君和要臣;第三是高價買入敵國的糧草以掏空敵人的國家,助長敵國君主的欲望使其民眾疲勞不堪;第四是以美人計來迷惑敵國君主的心智而使他無心謀劃國政;第五是進獻能工巧匠和優質木材,讓敵國大興宮殿館舍耗盡他的資產;第六是派送阿諛奉承的奸臣,使他輕易地去發動戰爭;第七是施壓剛諫之臣使其自殺;第八是我方富國強兵;第九是加強備戰等待敵人疲憊睏乏時乘機發起攻擊。

這九種辦法，大王不可聲張，只需用心領會運用，那麼奪取天下都沒有什麼困難，何況一個區區吳國呢？」

【出處】

　　越王乃請大夫種而問曰：「吾昔日受夫子之言，自免於窮厄之地。今欲奉不羈之計，以雪吾之宿仇，何行而功乎？」大夫種曰：「臣聞高飛之鳥，死於美食；深泉之魚，死於芳餌。今欲伐吳，必前求其所好，參其所願，然後能得其實。」越王曰：「人之所好雖其願，何以定而制之死乎？」大夫種曰：「夫欲報怨復仇，破吳滅敵者，有九術，君王察焉？」越王曰：「寡人被辱懷憂，內慚朝臣，外愧諸侯，中心迷惑，精神空虛，雖有九術，安能知之？」大夫種曰：「夫九術者。湯文得之以王，桓穆得之以霸。其攻城取邑，易於脫屣。願大王覽之。」種曰：「一曰尊天事鬼以求其福；二曰重財幣以遺其君，多貨賄以喜其臣；三曰貴糴粟槁以虛其國，利所欲以疲其民；四曰遺美女以惑其心而亂其謀；五曰遺之巧工良材，使之起宮室以盡其財；六曰遺之諛臣，使之易伐；七曰強其諫臣，使之自殺；八曰君王國富而備利器；九曰利甲兵以承其弊。凡此九術，君王閉口無傳，守之以神，取天下不難，而況於吳乎？」越王曰：「善。」（《吳越春秋》〈勾踐陰謀外傳〉）

人不聊生

　　越王勾踐聽從文種的建議，首先實施第一條計策，在都城東郊立

祠祭祀陽神，名東皇公，在都城西郊立祠以祭陰神，名西王母。在會稽山上祭祀大禹陵，在江中洲上祭祀水神。侍奉鬼神一年，越國沒有遭遇災禍。越王高興地對文種說：「接下來該實施哪條計策呢？」文種說：「吳王喜好建造宮殿館舍，徵用民工從未中斷。請大王選伐大山裡的珍稀木材，進獻給吳王。」越王於是派遣了三千多名木工進山砍伐樹木。花了一年時間，才在深山密林之中得到兩株神木，神木寬二十圍，高四十丈，向陽的一棵是有斑紋的梓樹，背陰的一棵是椒楠。於是讓技術高超的工匠精心打磨雕琢，塗上不同的顏色，畫上精美的花紋，再鑲以白璧黃金。圖案形似龍蛇，圖紋彩繪熠熠生輝。於是越王派大夫文種出使吳國，將神木獻給吳王。文種對吳王說：「東海邊的賤臣勾踐派遣使臣文種，冒昧地向您報告：仰仗大王的力量，我得以私下修建了一座小殿，還有些多餘的木材，謹向大王行禮，把它們奉獻給大王。」吳王十分高興。伍子胥勸諫說：「大王不要接受。從前夏桀建造靈臺，商紂建造鹿臺，導致陰陽不調，寒冬與炎暑不能按時交替，五穀不熟，上天降下災禍，民眾困苦，國家遭殃，終於自取滅亡。大王如果接受這些木材，一定會被越王害死。」吳王未聽子胥的勸諫，接受木材修建了著名的姑蘇臺。花了三年時間收集材料，五年造成，臺頂高得視野能望到二百里開外。出徵服役的民工，有的拋屍路旁，有的哭泣於巷中，哀嘆之聲不絕，百姓疲憊，士人悲苦，民不聊生。越王開心地說：「大夫的第二條計策好啊。」

【出處】

　　乃行第一術，立東郊以祭陽，名曰東皇公，立西郊以祭陰，名曰西王母。祭陵山於會稽，祀水澤於江州。事鬼神一年，國不被災。越

王曰：「善哉，大夫之術！願論其餘。」種曰：「吳王好起宮室，用工不輟。王選名山神材，奉而獻之。」越王乃使木工三千餘人入山伐木，一年，師無所幸。作士思歸，皆有怨望之心，而歌木客之吟。一夜天生神木一雙，大二十圍，長五十尋。陽為文梓，陰為楩柟，巧工施校，制以規繩，雕治圓轉，刻削磨礱，分以丹青，錯畫文章，嬰以白璧，鏤以黃金，狀類龍蛇，文彩生光。乃使大夫種獻之於吳王，曰：「東海役臣臣孤勾踐使臣種敢因下吏聞於左右，賴大王之力，竊為小殿，有餘材，謹再拜獻之。」吳王大悅。子胥諫曰：「王勿受也。昔者，桀起靈臺，紂起鹿臺，陰陽不和，寒暑不時，五穀不熟，天與其災，民虛國變，遂取滅亡。大王受之，必為越王所戮。」吳王不聽，遂受而起姑蘇之臺。三年聚材，五年乃成，高見二百里。行路之人，道死巷哭，不絕嗟嘻之聲：民疲士苦，人不聊生。越王曰：「善哉！第二術也。」（《吳越春秋》〈勾踐陰謀外傳〉）

越貢二女

　　越王勾踐對大夫文種說：「我聽說吳王貪淫好色，惑亂沉溺，不理國事。我們能利用這一點做文章嗎？」文種說：「當然可以。吳王本來就荒淫貪色，加之太宰嚭以巧言牽心。如果進獻美女，一定會接受。大王可以挑選兩個絕色美女獻給吳王。」越王說：「好！」於是派人在全國廣泛搜尋，最終得到苧蘿山的兩個賣柴女西施、鄭旦。接著用綾羅縐紗打扮她們，教給她們才藝禮儀和步履行止，讓她們在靠近都城街巷的土城練習。三年之後，由相國范蠡將她們送往吳國，

越貢二女

獻給吳王說：「越王勾踐私下得到兩個上天恩賜的女子。越國地位低下、處境窘迫，不敢自己收留。謹派使臣范蠡奉獻大王。大王如不嫌醜陋，希望收下她們，供您灑掃使用。」吳王十分高興，說：「越國進獻兩個美女，這是勾踐忠於吳國的證明啊。」伍子胥勸諫說：「大王千萬不要接受。我聽說繽紛的色彩令人眼瞎，動聽的音樂令人耳聾。從前夏桀因輕視商湯而滅亡，商紂王因輕視周文王而滅亡。現在大王接受越國的美女，一定會有禍殃。我聽說越王白天忘我工作不知疲倦，夜晚誦讀典籍經常通宵不眠，身邊還聚集了數萬名無懼死亡的勇士，這個人只要活著，就一定能實現他的願望。越王奉行誠信、實施仁政，聽從勸告、進用賢人，此人不死，一定會功成名就。越王夏天披毛皮大衣，冬天穿葛布單衣以勵志，此人不死，就一定是吳國的死敵。我聽說賢士是國家的至寶，美女是國家的災禍。夏桀因妹喜而亡，商紂因妲己而亡，周幽王因褒姒而亡。這可是沉痛的教訓啊。」吳王不聽子胥的勸諫，高興地笑納了越國美女。越王得知消息，興奮地說：「美人計成功了！」

【出處】

十二年，越王謂大夫種曰：「孤聞吳王淫而好色，惑亂沉湎，不領政事，因此而謀，可乎？」種曰：「可破。夫吳王淫而好色，宰嚭佞以曳心，往獻美女，其必受之。惟王選擇美女二人而進之。」越王曰：「善。」乃使相者國中得苧蘿山鬻薪之女，曰西施、鄭旦。飾以羅穀，教以容步，習於土城，臨於都巷。三年學服而獻於吳。乃使相國范蠡進曰：「越王勾踐竊有二遺女，越國湅下困迫，不敢稽留，謹使臣蠡獻之。大王不以鄙陋寢容，願納以供箕帚之用。」吳王大悅，

曰：「越貢二女，乃勾踐之盡忠於吳之證也。」子胥諫曰：「不可，王勿受也。臣聞五色令人目盲，五音令人耳聾。昔桀易湯而滅，紂易文王而亡，大王受之，後必有殃。臣聞越王朝書不倦，晦誦竟夜，且聚敢死之士數萬，是人不死，必得其願；越王服誠行仁，聽諫進賢，是人不死，必成其名；越王夏被毛裘，冬御絺綌，是人不死，必為對隙。臣聞賢士國之寶，美女國之咎：夏亡以妹喜，殷亡以妲己，周亡以褒姒。」吳王不聽，遂受其女。越王曰：「善哉！第三術也。」（《吳越春秋》〈勾踐陰謀外傳〉）

越女之劍

　　范蠡對越王勾踐說：「我聽說古代聖明的君主，沒有不通曉帶兵打仗的。排列陣勢、調度隊伍、擊鼓進退之事，最關鍵還是看戰士的武藝是否高超。越國有個處女，生於南林，國人都稱讚她武藝高超。大王可以找她來請教。」越王於是派使者去聘請她，向她請教使用劍戟的方法。處女應命北上，在路上遇見一位白鬍子老頭，自稱袁公，問處女說：「我聽說你善於使劍，希望能見識一下。」處女說：「小女不敢有所隱瞞，請老公公檢驗一下吧。」於是袁公拔起一根箖箊竹作擊杖，竹枝的上端已經乾枯，竹梢斷落，處女伸手飛快地拾起竹梢。袁公手握竹竿刺擊處女。處女上前迎擊，避讓三下之後，才舉起竹梢去刺袁公。袁公飛身上樹，變成一隻白猿。處女於是告別白猿而去。入宮見到越王。越王問她說：「你的擊劍之術是怎麼獲得的？」處女說：「小女出生在深山老林，在荒無人煙的野外長大。沒有人可

以請教，更不要說與諸侯交往。我私下喜歡劍術之類的書籍，每天唸誦不止。我的擊劍之術沒有傳人，是自己突然之間領悟的。」越王說：「你擊劍的技法是怎樣的？」處女說：「我的技法微不足道，很容易掌握，但其中的道理卻很深奧。劍道有門戶和陰陽之分。開門閉戶，陽盛陰衰。大凡執劍與人格鬥，體內的精神一定要充沛，外在的儀表一定要安詳；看上去像是個溫順柔弱的美女，格鬥時就彷彿一隻受驚的猛虎；自己的身體擺動和運氣呼吸，一定要與內在的精氣神同步協調；即便夜色昏暗，視覺也要有如陽光照耀一般明亮，飛奔跳躍，要像兔子一樣輕快敏捷；追擊對手形來影去，劍光若有若無；運氣吸氣，吐納自如；縱橫逆順，悄然無聲。掌握了這種劍術，一人可以當百，百人可以當萬。大王想要見識一下，效果立馬可以看到。」越王十分高興，當即賜給處女「越女」的稱號。於是傳令各兵種的長官和有基礎的高手向越女學習劍術，然後再教給士兵。見識過越女劍術的人，都稱讚越女的劍術為天下第一。

【出處】

　　越王又問相國范蠡曰：「孤有報復之謀，水戰則乘舟，陸行則乘輿，輿舟之利，頓於兵弩。今子為寡人謀事，莫不謬者乎？」范蠡對曰：「臣聞古之聖君，莫不習戰用兵，然行陣隊伍軍鼓之事，吉凶決在其工。今聞越有處女，出於南林，國人稱善。願王請之，立可見。」越王乃使使聘之，問以劍戟之術。處女將北見於王，道逢一翁，自稱曰袁公。問於處女：「吾聞子善劍，願一見之。」女曰：「妾不敢有所隱，惟公試之。」於是袁公即拔箖箊竹，竹枝上枯槁，未折墮地，女即捷末。袁公操其本而刺處女。處女應即入之，三入，因舉

杖擊袁公。袁公則飛上樹，變為白猿。遂別去。見越王，越王問曰：「夫劍之道則如之何？」女曰：「妾生深林之中，長於無人之野，無道不習，不達諸侯。竊好擊之道，誦之不休。妾非受於人也，而忽自有之。」越王曰：「其道如何？」女曰：「其道甚微而易，其意甚幽而深。道有門戶，亦有陰陽。開門閉戶，陰衰陽興。凡手戰之道，內實精神，外示安儀，見之似好婦，奪之似懼虎，布形候氣，與神俱往，杳之若日，偏如滕兔，追形逐影，光若佛彷，呼吸往來，不及法禁，縱橫逆順，直復不聞。斯道者，一人當百，百人當萬。王欲試之，其驗即見。」越王大悅，即加女號，號曰「越女」。乃命五校之隊長、高才習之，以教軍士。當此之時皆稱越女之劍。（《吳越春秋》〈勾踐陰謀外傳〉）

請糴於吳

越國遇上大災年，越王很害怕，召范蠡來商量。范蠡說：「您對此何必憂慮呢？如今的荒年，這是越國的福氣，卻是吳國的災禍。吳國很富足，錢財有餘，它的君主年少，缺少智謀和才能，喜歡一時的虛名，不思慮後患。您如果用貴重的禮物、卑謙的言辭去向吳國請求借糧，那麼糧食就可以得到了。得到糧食，最終越國必定會佔有吳國，您對此何必憂慮呢？」越王說：「好！」於是就派人向吳國請求借糧。吳王同意借給越國糧食，伍子胥勸阻說：「不能給越國糧食。吳國與越國，土地相接，邊境相鄰，道路平坦通暢，人民往來頻繁，是勢均力敵的仇國。不是吳國滅掉越國，就是越國滅掉吳國。像燕

國、秦國、齊國、晉國，它們處於高山陸地，怎能跨越五湖九江、穿過十七處險阻來攻打吳國呢？您現在要送給越國糧食，這是長對手的銳氣、養活我們的仇人啊。到時候國家錢財缺乏、人民怨恨，後悔就來不及了。不如趁越國缺糧食，轉頭去攻打它。這就是從前先王所以成就霸業的原因啊。再說鬧饑荒是交替出現的事，就如同深淵和山坡一樣，哪個國家沒有？」吳王說。「不對。我聽說過，正義的軍隊不攻打已經順服的國家，仁德的人不會拒絕饑餓的人借糧的請求。越國已經順服卻去攻打它，這不是正義的軍隊；越國鬧饑荒卻不借給它糧食，這不是仁德的行為。不仁不義，即使得到十個越國，我也不會去做。」於是借給了越國糧食。沒過三年，吳國也遇到災年，轉而向越國請求借糧，越王不給，卻來攻打吳國，吳王夫差被擒。

【出處】

　　越國大饑，王恐，召范蠡而謀。范蠡曰：「王何患焉？今之饑，此越之福，而吳之禍也。夫吳國甚富，而財有餘，其王年少，智寡才輕，好須臾之名，不思後患。王若重幣卑辭以請糴於吳，則食可得也。食得，其卒越必有吳，而王何患焉？」越王曰：「善！」乃使人請食於吳。吳王將與之，伍子胥進諫曰：「不可與也！夫吳之與越，接土鄰境，道易人通，仇讎敵戰之國也，非吳喪越，越必喪吳。若燕秦齊晉，山處陸居，豈能逾五湖九江越十七厄以有吳哉？故曰非吳喪越，越必喪吳。今將輸之粟，與之食，是長吾讎而養吾仇也。財匱而民恐，悔無及也。不若勿與而攻之，固其數也。此昔吾先王之所以霸。且夫饑，代事也，猶淵之與阪，誰國無有？」吳王曰：「不然。吾聞之，義兵不攻服，仁者食饑餓。今服而攻之，非義兵也；饑而不

食，非仁體也。不仁不義，雖得十越，吾不為也。」遂與之食。不出三年，而吳亦饑。使人請食於越，越王弗與，乃攻之，夫差為禽。（《呂氏春秋》〈孝行覽·長攻〉）

夫戰之道，知為之始

楚國大夫申包胥出使越國，越王勾踐問他說：「吳國不行正道，圖謀滅亡我國。我想和吳國決一死戰，由老天爺來決定，看他賜福哪個國家。我已做好戰鬥準備，請問還要具備哪些條件才能出兵？」申包胥推辭不答。越王再三追問，申包胥才回答說：「吳國很強大，能憑實力取得諸侯國的貢賦。冒昧地問一句，君王憑什麼與它開戰？」越王說：「凡是杯中的酒，碗中的肉，竹籃裡的飯，我從來都與身邊周圍的人分享。我對飲食不講究，也不迷戀美妙的音樂，一心只想復仇吳國，希望憑這些能夠取勝。」申包胥說：「能做到這些不容易，可單靠這些還不行。」越王說：「我慰問病者，安葬死者，敬重老人，愛護兒童，撫養孤兒，訪問民間疾苦，希望憑這些能夠取勝。」申包胥說：「您做得很好，可單憑這些也還不夠。」越王說：「我像愛護子女一樣寬厚待民，根據他們的好惡制訂寬鬆的法令，揚善抑惡，希望憑這些能取勝。」申包胥說：「這也不錯，可就憑這些還是不行。」越王說：「我讓富人安心經營，窮人得到接濟。救濟不足，調劑盈餘，使貧窮與富裕的人都能得到好處，希望憑這些能夠取勝。」申包胥說：「這也很好，但憑這些還是不行。」越王說：「越國南鄰楚國，西接晉國，北連齊國，這些年我向它們進獻財物和美女表

示敬服，從未間斷。一心想以此報復吳國，希望憑這些能夠取勝。」申包胥說：「都很好，您不必多說了，僅憑這些仍然不能出兵。興兵打仗，最重要的是智謀，仁義次之，勇敢再次之。不明智，就不會洞察民心向背，也不能正確評價雙方的力量對比；不仁義，就不能與三軍將士同甘共苦；不果敢，就不會果斷決策明確大計。」越王說：「我明白了。」於是召見五位輔政大夫，虛心聽取大家的意見。越王能最終滅亡吳國，北上征服中原諸國，正是因為越王能謙虛地對待群臣、集中他們智謀的緣故。

【出處】

二十一年七月，越王復悉國中士卒伐吳，會楚使申包胥聘於越。越王乃問包胥曰：「吳可伐耶？」申包胥曰：「臣鄙於策謀，未足以卜。」越王曰：「吳為不道，殘我社稷，夷吾宗廟，以為平原，使不得血食。吾欲與之徼天之中惟是輿馬、兵革、卒伍既具，無以行之。誠聞於戰，何以為可？」申包胥曰：「臣愚，不能知。」越王固問，包胥乃曰：「夫吳，良國也，傳賢於諸侯。敢問君王之所戰者何？」越王曰：「在孤之側者，飲酒食肉未嘗不分，孤之飲食不致其味，聽樂不盡其聲，求以報吳。願以此戰。」包胥曰：「善則善矣，未可以戰。」越王曰：「越國之中，吾博愛以子之，忠惠以養之，吾今修寬刑，欲民所欲，去民所惡，稱其善，掩其惡，求以報吳。願以此戰。」包胥曰：「善則善矣，未可以戰。」王曰：「越國之中，富者吾安之，貧者吾予之，救其不足，損其有餘，使貧富不失其利，求以報吳。願以此戰。」包胥曰：「善則善矣，未可以戰。」王曰：「邦國南則距楚，西則薄晉，北則望齊，春秋奉幣、玉帛、子女以貢獻焉，未

嘗敢絕，求以報吳。願以此戰。」包胥曰：「善哉，無以加斯矣，猶未可戰。夫戰之道，知為之始，以仁次之，以勇斷之。君將不知，即無權變之謀，以別眾寡之數；不仁則不得與三軍同饑寒之節，齊苦樂之喜；不勇則不能斷去就之疑，決可否之議。」於是越王曰：「敬從命矣。」（《吳越春秋》〈勾踐伐吳外傳〉）

徼天之中

　　越王勾踐聽從楚國大夫申包胥的意見，向手下的八位大夫請教說：「從前吳國不講道義，毀壞我們的宗廟，踐踏我們的社稷，使我們的祖先得不到祭祀。我想求上天來主持公道，現在討伐吳國的兵器裝備都準備好了，卻還沒有必勝的把握。我請教過申包胥，他已給了我一些指點，現在再徵詢各位的意見，該怎樣才能贏得勝利呢？」大夫曳庸說：「應該嚴明獎賞。嚴明獎賞就有威信。無功不賞，有功者賞，將士們就不會懈怠懶惰。」越王點頭說：「聖明啊！」大夫苦成說：「應該嚴明刑罰。這樣將士們就會望而生畏，不敢違抗命令。」越王說：「有膽識啊！」大夫文種說：「必須盡量熟悉山川地貌。將士們能分辨是非，行軍作戰就不會迷失方向。」越王說：「明辨啊！」大夫范蠡說：「必須加強戰備。認真做好防守，加固防禦工事，就不怕敵人來犯。」越王說：「謹慎啊！」大夫皋如說：「應該重視輿論宣傳。幫助諸侯各國分辨越、吳誰清誰濁，讓大王的美名遠播周室，這樣諸侯各國都會站在我們一邊。」越王說：「值得啊！」大夫扶同說：「必須廣施恩德，明確職分。廣施恩惠就會贏得民心，明確職分

就不會越俎代庖。」越王說：「神妙啊！」大夫計然說：「觀測天象，考察地理，窺視人心。天時地利人和，一定能取得勝利。」越王說：「明智啊！」

【出處】

冬，十月，越王乃請八大夫曰：「昔吳為不道，殘我宗廟，夷我社稷以為平原，使不血食。吾欲徼天之中，兵革既具，無所以行之。吾問於申包胥，即已命孤矣，敢告諸大夫如何？」大夫曳庸曰：「審賞則可戰也。審其賞，明其信，無功不及，有功必加，則士卒不怠。」王曰：「聖哉！」大夫苦成曰：「審罰則可戰。審罰則士卒望而畏之，不敢違命。」王曰：「勇哉！」大夫文種曰：「審物則可戰。審物則別是非，是非明察，人莫能惑。」王曰：「辨哉！」大夫范蠡曰：「審備則可戰。審備慎守以待不虞，備設守固，必可應難。」王曰：「慎哉！」大夫皋如曰：「審聲則可戰。審於聲音，以別清濁。清濁者，謂吾國君名聞於周室，令諸侯不怨於外。」王曰：「得哉！」大夫扶同曰：「廣恩知分則可戰。廣恩以博施，知分而不外。」王曰：「神哉！」大夫計研曰：「候天察地，參應其變則可戰。天變地應，人道便利，三者前見則可。」王曰：「明哉！」（《吳越春秋》〈勾踐伐吳外傳〉）

各守其職

越王向全國發布出征吳國的命令後，進入後宮對夫人說：「從今

天起，內宮的事不向外通報，宮外的政事不入內宮的宮門。我們各司其職。後宮裡出了差錯是你的責任，軍隊在境外遭受屈辱拿我是問。」越王走出後宮，夫人送越王不出房門，越王讓人在外面把宮門鎖閉。夫人卸妝獨坐，專心守節，房內三個月沒有打掃清潔。越王走出後宮，背靠外宮的矮牆對大夫們發布命令說：「供養士子不公，土地缺乏耕種，使我在國內蒙羞，這是你們的罪過；面對強敵不敢戰鬥，將士不肯效命，在各國諸侯面前丟臉，功業毀於一旦，這是我的責任。從今天起，國內的政事不用向我通報，對外作戰的事你們也不必插手。我在此鄭重宣告。」大夫們齊聲說：「恭敬地執行您的命令。」越王於是走出王宮，大夫們送越王不出宮門，越王轉過身來讓人從外面關閉宮門。大夫們各就各位，簡餐素食，埋頭公務。出征之際，越王再次告誡夫人和眾大夫說：「越國就靠你們來守衛了！」

【出處】

　　教令既行，乃入命於夫人。王背屏，夫人向屏而立。王曰：「自今日之後，內政無出，外政無入，各守其職，以盡其信。內中辱者則是子，境外千里辱者則是子也。吾見子於是，以為明誡矣。」王出宮，夫人送王不過屏，王因反闔其門，填之以土。夫人去笄，側席而坐，安心無容，三月不掃。王出則復背垣而立，大夫向垣而敬，王乃令大夫曰：「食士不均，地壤不修，使孤有辱於國，是子之罪；臨敵不戰，軍士不死，有辱於諸侯，功隳於天下，是孤之責。自今以往，內政無出，外政無入，吾固誡子。」大夫：「敬受命矣。」王乃出，大夫送出垣，反闔外宮之門，填之以土。大夫側席而坐，不御五味，

不答所勸。勾踐有命於夫人、大夫曰：「國有守禦。」（《吳越春秋》〈勾踐伐吳外傳〉）

以喜其意

越王把寡婦、淫亂的女子和犯有過錯的婦女集中送到獨女山上。越王準備討伐吳國，將士中常有心情憂鬱苦悶的，越王就讓他們到獨女山上尋歡作樂，愉悅心情。

【出處】

獨女山者，諸寡婦女淫佚犯過皆輸此山上。越王將伐吳，其士有憂思者，令遊山上，以喜其意。（《太平御覽》）

見敵而有怒氣

進軍伐吳途中，越王很擔心戰士們只是畏懼法令而不是心甘情願為自己效命。恰好在路上見到一隻青蛙，鼓起肚子，像是很憤怒、準備戰鬥的樣子。他於是下車，扶著車把行禮表示敬意。在場的士兵問他說：「國君為什麼向青蛙行禮呢？」勾踐說：「我盼望戰士們的憤怒已經很久了，一直不能令我滿意。青蛙只是低等動物，遇見敵人竟然充滿怒氣，因此我要向牠表示敬意。」戰士們聽到這些話，無不抱定獻身越國、效忠越王而死的信念。

恐軍士畏法不使，自謂未能得士之死力，道見蛙張腹而怒，將有戰爭之氣，即為之軾。其士卒有問於王曰：「君何為敬蛙蟲而為之軾？」勾踐曰：「吾思士卒之怒久矣，而未有稱吾意者。今蛙蟲無知之物，見敵而有怒氣，故為之軾。」於是軍士聞之，莫不懷心樂死，人致其命。（《吳越春秋》〈勾踐伐吳外傳〉）

為汝開道

越軍在松江擊敗吳軍，三戰三捷。越軍抵達吳都，將吳軍圍困在西城之中。吳王非常恐懼，連夜逃離吳都。越王率越軍緊追不捨，一直追到江陽、松陵。越軍打算從胥門進入都城。離胥門還有六七里路的時候，遠望吳都南城，看見城樓上懸掛著伍子胥的頭顱，大得像車輪一樣，目如閃電，鬢髮四處張開，神光怒氣照射十里。越軍非常恐懼，便停止前進準備繞道而走。當天夜裡，暴風驟雨大作，雷電交加，飛沙走石，宛如弓弩發射。越軍退回松陵，檢驗隊伍，損失十分慘重。范蠡、文種袒胸露臂，跪拜於地，懇求子胥讓路。子胥給文種、范蠡託夢說：「我早就知道越軍一定會攻入吳都，所以要求把我的頭顱擱置在南門城樓上，目睹你們攻破吳國。本是想以此羞辱夫差，眼見你們真要攻入都城，我又於心不忍，所以才製造狂風暴雨來嚇退你們的軍隊。然而越國討伐吳國本是天意，我又怎能阻止？越軍想要進城，可以改走東門，我將親自為你們開道，打開城門，使你們暢通無阻。」於是越軍重新從松江出發，進入海陽，又從三江口到翟

水，最終從東南角進入都城，將吳宮包圍。

【出處】

　　越王陰使左右軍與吳望戰，以大鼓相聞；潛伏其私卒六千人，銜枚不鼓攻吳。吳師大敗。越之左右軍乃遂伐之，大敗之於囿，又敗之於郊，又敗之於津，如是三戰三北，徑至吳，圍吳於西城。吳王大懼，夜遁。越王追奔攻吳，兵入於江陽松陵，欲入胥門，來至六七里，望吳南城，見伍子胥頭巨若車輪，目若耀電，鬚髮四張，射於十里。越軍大懼，留兵假道。即日夜半，暴風疾雨，雷奔電激，飛石揚砂，疾於弓弩。越軍壞敗，松陵卻退，兵士僵斃，人眾分解，莫能救止。范蠡、文種乃稽顙肉袒，拜謝子胥，願乞假道。子胥乃與種、蠡夢曰：「吾知越之必入吳矣，故求置吾頭於南門，以觀汝之破吳也。惟欲以窮夫差。定汝入我之國，吾心又不忍，故為風雨以還汝軍。然越之伐吳，自是天也，吾安能止哉？越如欲入，更從東門，我當為汝開道，貫城以通汝路。」於是越軍明日更從江出，入海陽，於三道之翟水，乃穿東南隅以達，越軍遂圍吳。（《吳越春秋》〈勾踐伐吳外傳〉）

示我不病

　　越國戰勝吳國後，又向楚國借兵攻打晉國。史官倚相對楚王說：「越國攻佔吳國，忠勇之士戰死，精銳部隊元氣大傷，武器裝備也損失得差不多了。現在來向楚國借兵攻打晉國，是想告訴我們沒有受

損。楚國不如起兵和越國一起瓜分吳國。」楚王說：「好。」就起兵跟蹤越軍。越王非常氣憤，準備攻擊楚國。大夫文種說：「不行。我們的隊伍犧牲很大，武器裝備也損失不小，這時候與楚國作戰，一定不能取勝，不如賄賂他們。」於是將露山北面五百里的地方割讓給了楚國。

【出處】

越已勝吳，又索卒於荊而攻晉。左史倚相謂荊王曰：「夫越破吳，豪士死，銳卒盡，大甲傷。今又索卒以攻晉，示我不病也。不如起師與分吳。」荊王曰：「善。」因起師而從越。越王怒，將擊之。大夫種曰：「不可。吾豪士盡，大甲傷。我與戰，必不克。不如賂之。」乃割露山之陰五百里以賂之。（《韓非子》〈說林下〉）

將欲弱之，必固強之

越王勾踐主動前往吳國為僕，又極力慫恿吳王北上伐齊，以達到削弱吳國的目的。吳軍在艾陵戰勝齊軍，勢力擴張到長江、濟水流域，又在黃池盟會上贏得霸主地位。由於攜主力外出，久戰力衰，所以才會在太湖被越國打敗。所以《老子》說：「要想收縮它，暫且擴張它；想要削弱它，暫且加強它。」

【出處】

越王入宦於吳，而觀之伐齊以弊吳。吳兵既勝齊人於艾陵，張之

將欲弱之，必固強之

於江、濟，強之於黃池，故可制於五湖。故曰：「將欲翕之，必固張之；將欲弱之，必固強之。」（《韓非子》〈喻老〉）

守柔曰強

勾踐自願到吳國為奴，手執帚箕為吳王掃地養馬，所以能在姑蘇把夫差殺死。周文王在王門遭受辱罵，面不改色，結果武王在牧野活捉紂王。所以《老子》說：「保持柔弱即是剛強。」越王稱霸，並不因為擔任奴僕而羞恥；武王稱王，並不因為被人辱罵而煩惱。所以《老子》說：「聖人之所以不苦惱，因為他心裡不認為苦惱，所以不苦惱。」

【出處】

勾踐入宦於吳，身執干戈為吳王洗馬，故能殺夫差於姑蘇。文王見詈於王門，顏色不變，而武王擒紂於牧野。故曰：「守柔曰強。」越王之霸也不病宦，武王之王也不病詈。故曰：「聖人之不病也，以其不病，是以無病也。」（《韓非子》〈喻老〉）

君臣之禮存

越王勾踐因椒山戰敗，夫婦二人攜范蠡入吳宮養馬。一天，吳王夫差從姑蘇臺上俯瞰，見勾踐及夫人端坐於馬糞之旁，范蠡操箠站立一側，既不失君臣之禮，又保持夫婦之儀，因此對太宰伯嚭感嘆說：

「越王不過區區小國之君，范蠡不過一個微末的士人，處在如此落魄的境地，仍然不失君臣的禮節，寡人心裡甚為敬重。」

【出處】

一日，夫差登姑蘇臺，望見越王及夫人端坐於馬糞之旁，范蠡操箠而立於左，君臣之禮存，夫婦之儀具。夫差顧謂太宰嚭曰：「彼越王不過小國之君，范蠡不過一介之士，雖在窮厄之地，不失君臣之禮，寡人心甚敬之。」（《東周列國志》）

利所加也

越王勾踐愛民如子，主要是為了發動戰爭向吳國復仇。醫生善於吸吮病人的傷口，口含病人的污血，不是因為有骨肉之親，而是利益所在。所以車匠造車子，只希望別人富貴；棺材匠做棺材，只希望別人早死。並不是車匠仁慈而棺材匠狠毒；別人不富貴，車子就賣不掉；別人不死亡，棺材就沒人買。並不是棺材匠心懷憎恨，而是利益在別人的死亡上。

【出處】

越王勾踐愛人，為戰與馳。醫善吮人之傷，含人之血，非骨肉之親也，利所加也。故與人成輿，則欲人之富貴；匠人成棺，則欲人之夭死也。非輿人仁而匠人賊也，人不貴，則輿不售；人不死，則棺不買。情非憎人也，利在人之死也。（《韓非子》〈備內〉）

試焚宮室

越王詢問大夫文種說：「我想攻打吳國，可以嗎？」文種回答說：「可以啊。我們的賞賜豐厚而守信，懲罰嚴厲而堅決。您可以用焚燒宮室來做個試驗。」於是讓人縱火焚燒宮室，剛開始沒人去救。於是下令說：「為救火而死的，與戰場犧牲同賞；救火而倖存的，與戰勝敵人同賞；不參與救火的，按投降敗北論處。」命令剛剛下達，以泥土塗身、蒙上濕衣爭先恐後奔赴火場的，就有數千人之多。由此可知伐吳必勝。

【出處】

越王問於大夫文種曰：「吾欲伐吳，可乎？」對曰：「可矣。吾賞厚而信，罰嚴而必。君欲知之，何不試焚宮室？」於是遂焚宮室，人莫救之。乃下令曰：「人之救火者死，比死敵之賞；救火而不死者，比勝敵之賞；不救火者，比降北之罪。」人之塗其體、被濕衣而走火者，左三千人，右三千人。此知必勝之勢也。（《韓非子》〈內儲說上七術〉）

為民誅之

越國討伐吳國時，事先大造輿論、發布宣言說：「吳王修築如皇之臺，挖掘深池，使百姓疲勞困苦，耗費財物，竭盡人力，民眾苦不堪言，讓我前來為民除害吧！」

越伐吳，乃先宣言曰：「我聞吳王築如皇之臺，掘淵泉之池，罷苦百姓，煎靡財貨，以盡民力，余來為民誅之。」（《韓非子》〈外儲說左上〉）

以吳予越

越國攻打吳國，吳王謝罪並表示臣服，越王準備答應。國相范蠡和大夫文種說：「不行。過去上天把越國賜給吳國，吳國沒有接受；現在上天不幫助吳王夫差，這是天意啊。上天把吳國給了越國，越國應該拜謝接受，不能答應吳王的要求。」吳國的太宰嚭寫信給大夫文種說：「狡猾的兔子捕完了，好獵狗會被送上宴席；敵國滅亡了，謀臣也會受害。大夫為什麼不放過吳國，讓它成為越國的憂患呢？」大夫文種長嘆一聲說：「殺掉謀臣，越國和吳國的下場一樣。」

【出處】

越王攻吳王，吳王謝而告服，越王欲許之。范蠡、大夫種曰：「不可。昔天以越與吳，吳不受，今天反夫差，亦天禍也。以吳予越，再拜受之，不可許也。」太宰嚭遺大夫種書曰：「狡兔盡則良犬烹，敵國滅則謀臣亡。大夫何不釋吳而患越乎？」大夫種受書讀之，太息而嘆曰：「殺之，越與吳同命。」（《韓非子》〈內儲說下六微〉）

天降禍於吳國

　　越國對吳國發起最後的攻擊。吳軍堅守一年，連連失敗，吳王躲在姑胥山上，派王孫駱袒胸露臂、跪行向越王求和，表示吳國君臣願意長期做越王的奴僕。勾踐心有不忍，準備答應講和。范蠡說：「會稽山的戰事，是上天要把越國賜給吳國，吳國沒有接受；現在上天把吳國賜給越國，越國難道能違背天意嗎？這些年，大王每天很早上朝，很晚退朝，恨得咬牙切齒、刻骨銘心，圖謀二十多年，不就是為了此時此刻嗎？不接受上天的恩賜，就一定會遭受上天的責罰。國君怎麼能忘記當年被困會稽的危難呢？」勾踐說：「您是對的，但我實在不忍心回絕他的使者。」范蠡於是敲響戰鼓讓戰士繼續前進，回頭對使者說：「越王已經把政事託付給我，請使者趕快離開，如果不及時離開，我可就不客氣了。」吳國使者痛哭流涕地走了。勾踐可憐吳王，派人對吳王說：「我把你安置在甬江東邊，以三百多戶人家來供養你安度此生，這可以嗎？」吳王拒絕說：「上天既然要懲罰吳國，那我就不在乎早死一天、晚死一天。喪失宗廟和國家的是我自己。吳國的土地臣民已經被越國佔有，我老了，不能再做君王的臣子了。」於是伏劍自殺。

【出處】

　　守一年，吳師累敗。遂棲吳王於姑胥之山。吳使王孫駱肉袒膝行而前，請成於越王，曰：「孤臣夫差，敢布腹心：異日得罪於會稽，夫差不敢逆命，得與君王結成以歸。今君王舉兵而誅孤臣，孤臣惟命

是聽，意者猶以今日之姑胥，曩日之會稽也。若徼天之中，得赦其大辟，則吳願長為臣妾。」勾踐不忍其言，將許之成。范蠡曰：「會稽之事，天以越賜吳，吳不取；今天以吳賜越，越可逆命乎？且君王早朝晏罷，切齒銘骨，謀之二十餘年，豈不緣一朝之事耶？今日得而棄之，其計可乎？天與不取，還受其咎。君何忘會稽之厄乎？」勾踐曰：「吾欲聽子言，不忍對其使者。」范蠡遂鳴鼓而進兵曰：「王已屬政於執事，使者急去，不時得罪。」吳使涕泣而去。勾踐憐之，使令入謂吳王曰：「吾置君於甬東，給君夫婦三百餘家，以沒王世，可乎？」吳王辭曰：「天降禍於吳國，不在前後，正孤之身，失滅宗廟社稷者。吳之土地、民臣，越既有之，孤老矣，不能臣王。」遂伏劍自殺。（《吳越春秋》〈勾踐伐吳外傳〉）

掩其空虛

　　越王召見范蠡說：「吳王殺死了伍子胥，當前朝中阿諛奉承的臣子居多。大家都認為現在攻打吳國正是時候，你覺得可以嗎？」范蠡說：「還不可以。要等到明年的春天才行。」越王說：「為什麼呢？」范蠡說：「吳王正北上黃池與諸侯會盟，精銳部隊隨行，太子留守，國內實力空虛。現在吳王的軍隊才出境不遠，如果聽說越國乘虛而入，軍隊掉頭回轉並不困難。」到了夏季六月丙子日，勾踐再問范蠡，范蠡點頭說：「可以出兵了。」於是勾踐統率大軍五萬人伐吳，俘虜並殺死太子友，攻入吳國國都，放火焚燒姑蘇臺。夫差在黃池與諸侯會盟，封閉消息，派人向越國求和。勾踐估計自己暫時還不能完全滅亡吳國，就答應了吳國。

越王復召范蠡謂曰：「吳已殺子胥，道諛者眾。吾國之民，又勸孤伐吳。其可伐乎？」范蠡曰：「未可，須明年之春，然後可耳。」王曰：「何也？」范蠡曰：「臣觀吳王北會諸侯於黃池，精兵從王，國中空虛，老弱在後，太子留守。兵始出境未遠，聞越掩其空虛，兵還不難也。不如來春。」其夏六月丙子，勾踐復問，范蠡曰：「可伐矣。」乃發習流二千人，俊士四萬，君子六千，諸御千人。以乙酉與吳戰，丙戌遂虜殺太子，丁亥入吳，焚姑胥臺。吳告急於夫差，夫差方會諸侯於黃池，恐天下聞之，即密不令洩。已盟黃池，乃使人請成於越。勾踐自度未能滅，乃與吳平。（《吳越春秋》〈勾踐伐吳外傳〉）

越兵橫行

勾踐滅亡吳國之後，帶兵北渡長江、淮河，與齊國、晉國等中原諸侯在徐州會盟，而後向周王朝獻上貢品。周元王派人賜給勾踐祭祀用的臘肉。勾踐接受周元王任命的伯爵稱號後返回江南，把淮河邊上的土地贈予楚國，將吳國侵佔的宋國土地歸還給宋國，把泗水東邊方圓百里的土地給了魯國。這一時期，越國的軍隊縱橫馳騁於長江、淮河一帶，無人能擋。各國諸侯都來祝賀，尊勾踐為霸主。

【出處】

勾踐已滅吳，乃以兵北渡江淮，與齊、晉諸侯會於徐州，致貢於周。周元王使人賜勾踐，已受命號去，還江南，以淮上地與楚，歸吳

所侵宋地，與魯泗東方百里。當是之時，越兵橫行於江淮之上，諸侯畢賀，號稱霸王。（《吳越春秋》〈勾踐伐吳外傳〉）

河梁之詩

　　勾踐派使者號令齊、楚、秦、晉等大國歃血結盟，儘力輔佐周王。秦桓公沒有理睬越王的命令，勾踐於是調度吳越將士，準備向西渡過黃河攻打秦國。將士們苦惱路途遙遠。正好碰上秦桓公害怕了，主動派人來承認錯誤，越王於是撤回軍隊。將士們非常高興，就作了一首《河梁之詩》歌唱說：「渡河梁啊渡河梁，舉兵所伐攻秦王。孟冬十月多雪霜，隆寒道路誠難當。陳兵未濟秦師降，諸侯怖懼皆恐惶。聲傳海內威遠邦，稱霸穆桓齊楚莊。天下安寧壽考長，悲去歸啊河無梁。」自從吳國被滅，中原各國都懼怕越國。

【出處】

　　勾踐乃使使號令齊、楚、秦、晉皆輔周室，血盟而去。秦桓公不如越王之命，勾踐乃選吳越將士西渡河以攻秦。軍士苦之，會秦怖懼，逆自引咎，越乃還軍。軍人悅樂，遂作《河梁之詩》，曰：「渡河梁兮渡河梁，舉兵所伐攻秦王。孟冬十月多雪霜，隆寒道路誠難當。陣兵未濟秦師降，諸侯怖懼皆恐惶。聲傳海內威遠邦，稱霸穆桓齊楚莊。天下安寧壽考長，悲去歸兮河無梁。」自越滅吳，中國皆畏之。（《吳越春秋》〈勾踐伐吳外傳〉）

置酒文臺

　　戰勝吳國之後，越王勾踐想稱王。范蠡說：「您不能稱王。從前吳王超越自己的身分而冒用天子的名號，因而上天產生異象，太陽被月亮吞食。現在您又想冒用天子的名號，不撤兵回國，我擔心異象再次出現。」越王不肯聽從范蠡的勸告，回到吳國都城，在文臺上大擺酒席，與群臣宴飲作樂，令樂師創作討伐吳國的歌曲。樂師說：「我聽說即事創作琴操，功成創作樂舞。大王崇尚仁德，討伐暴君，名留青史。請讓我彈奏一曲吧。」於是創作了《章暢》，歌中唱道：「艱難困苦要考慮！今想伐吳可否去？」大夫文種和相國范蠡接著唱道：「吳王殺死伍子胥，今不攻吳待何時？」大夫文種上前祝酒，稱頌越王功德無量，婉言奉勸他早日率領越軍返回故國。群臣歡聲笑語，越王臉上卻沒有喜悅之色。范蠡知道勾踐貪圖土地而不顧及將士的生死，儘管伐吳計謀已獲成功，國家已經安定，卻還想去求取大功而不想回國，所以面有憂色。

【出處】

　　越王還於吳，當歸而問於范蠡曰：「何子言之其合於天？」范蠡曰：「此素女之道，一言即合。大王之事，王問為實，金匱之要在於上下。」越王曰：「善哉！吾不稱王其可悉乎？」蠡曰：「不可。昔吳之稱王，僭天子之號，天變於上，日為陰蝕。今君遂僭號不歸，恐天變復見。」越王不聽，還於吳，置酒文臺，群臣為樂，乃命樂作伐吳之曲。樂師曰：「臣聞即事作操，功成作樂。君王崇德，誨化有道

之國，誅無義之人，復仇還恥，威加諸侯，受霸王之功。功可像於圖畫，德可刻於金石，聲可托於絃管，名可留於竹帛。臣請引琴而鼓之。」遂作《章暢》辭曰：「屯乎！今欲伐吳可未耶？」大夫種、蠡曰：「吳殺忠臣伍子胥，今不伐吳人何須？」大夫種進祝酒，其辭曰：「皇天祐助，我王受福。良臣集謀，我王之德。宗廟輔政，鬼神承翼。君不忘臣，臣盡其力。上天蒼蒼，不可掩塞。觴酒二升，萬福無極！」於是越王默然無言。大夫種曰：「我王賢仁，懷道抱德。滅仇破吳，不忘返國。賞無所吝，群邪杜塞。君臣同和，福佑千億。觴酒二升，萬歲難極！」臺上群臣大悅而笑，越王面無喜色。范蠡知勾踐愛壞土，不惜群臣之死，以其謀成國定，必復不須功而返國也，故面有憂色而不悅也。（《吳越春秋》〈勾踐伐吳外傳〉）

飛鳥盡，良弓藏

　　早在吳宮文臺群臣歡飲的時候，范蠡已萌生去意。因擔心尚未回國即告別離去有失為臣的禮儀，於是跟隨勾踐一起返回越國。路途中他對文種說：「你該走了。越王一定會殺害你的。」文種不以為然。范蠡寫信留給他說：「我聽說自然界有春生冬殺的四季交替，人生有高潮和低落的盛衰變化。只有明智的人知道適時進退。我范蠡雖然愚笨，也懂得見好就收。俗話說：『飛鳥盡，良弓藏；狡兔死，走狗烹。』越王這人，脖子長長的，嘴巴像鳥喙，眼睛像鷹，走路邁著狼步，這種人可以共患難，卻不能同享樂；可以相伴於危難時刻，卻不能相處於和平之時。如果不及早離開，你隨時會丟掉性命，這是很

明白的道理。」文種還是不相信范蠡的話。於是范蠡主動向越王請辭說：「如今大王已經報仇雪恨，功成名就，而我身居相位已久，請允許我就此辭別吧。」越王聽了很傷心，含淚說：「越國的士大夫都肯定您，老百姓都信任您，在您的幫助下我才能獲得王位的名號聽候天命。現在您卻說要離開我，這是上天在拋棄越國而置我於死地啊。從此我再無依靠。我私下想說兩句話：您如果留下，我願與您分國而治；如果您堅持要離開，我將殺死您的妻子兒女。」范蠡說：「我聽說君子知道把握時機，計策不能多次商議，死後不必被人猜疑，自己不能欺騙自己。既然已經選擇離開，妻子兒女也就無所顧忌了。大王保重，我就此告辭了。」於是乘坐小船，出三江口，進入太湖，沒有人知道他的去向。越王知道范蠡此去難以追回，就收養了范蠡的妻子兒女，封給他們百里土地，告誡國人說：「誰敢侵害她們，必將受到嚴懲。」越王還讓能工巧匠仿照范蠡的形狀鑄造了一尊銅像，放在座位旁邊，早晚與他討論政事。

【出處】

范蠡從吳欲去，恐勾踐未返，失人臣之義，乃從入越。行，謂文種曰：「子來去矣！越王必將誅子。」種不然言。蠡復為書遺種曰：「吾聞天有四時，春生冬伐；人有盛衰，泰終必否。知進退存亡而不失其正，惟賢人乎！蠡雖不才，明知進退。高鳥已散，良弓將藏；狡兔已盡，良犬就烹。夫越王為人，長頸鳥啄，鷹視狼步。可與共患難，而不可共處樂；可與履危，不可與安。子若不去，將害於子，明矣。」文種不信其言。越王陰謀范蠡，議欲去微幸。二十四年九月丁未，范蠡辭於王，曰：「臣聞主憂臣勞，主辱臣死，義一也。今臣事

大王，前則無滅未萌之端，後則無救已傾之禍。雖然，臣終欲成君霸國，故不辭一死一生。臣竊自惟乃使於吳王之慚辱。蠡所以不死者，誠恐讒於太宰嚭，成伍子胥之事，故不敢前死，且須臾而生。夫恥辱之心，不可以大，流汗之愧，不可以忍。幸賴宗廟之神靈，大王之威德，以敗為成，斯湯武克夏商而成王業者。定功雪恥，臣所以當席日久。臣請從斯辭矣。」越王惻然泣下沾衣。言曰：「國之士大夫是子，國之人民是子，使孤寄身托號以俟命矣。今子云去，欲將逝矣，是天之棄越而喪孤也，亦無所恃者矣。孤竊有言，公位乎，分國共之，去乎，妻子受戮。」范蠡曰：「臣聞君子俟時，計不數謀，死不被疑，內不自欺。臣既逝矣，妻子何法乎？王其勉之，臣從此辭。」乃乘扁舟，出三江，入五湖，人莫知其所適。范蠡既去，越王愀然變色，召大夫種曰：「蠡可追乎？」種曰：「不及也。」王曰：「奈何？」種曰：「蠡去時，陰畫六，陽畫三，日前之神，莫能制者。玄武天空威行，孰敢止者？度天關，涉天梁，後入天一。前翳神光，言之者死，視之者狂。臣願大王勿復追也。蠡終不還矣。」越王乃收其妻子，封百里之地，有敢侵之者，上天所殃。於是越王乃使良工鑄金像范蠡之形，置之坐側，朝夕論政。（《吳越春秋》〈勾踐伐吳外傳〉）

志合意同

　　范蠡本是楚國人，生於宛橐或伍戶之虛。他還是幼兒的時候，就時常一會兒發癲、一會兒清醒，人們都把他視為狂生。他有著聖賢般的睿智，一般人的資質都不足以與他談論，他也不屑與人交往。大夫

文種到宛城做縣令，與范蠡一見如故，引為知己。兩人志同意合，決定共同發展。看到東南方有霸業興起的徵兆，於是文種放棄楚大夫的職位，與范蠡結伴前往東南。兩人在吳國停留，被引薦給伍子胥。兩人覺得有伍子胥在，才華很難得到展現，於是轉投越國，受到勾踐的重用。文種處理內務，內務繁雜但有條不紊；范蠡治理外事，各國外交沒有不成功的。

【出處】

范蠡其始居楚也，生於宛橐，或伍戶之虛。其為結僮之時，一癡一醒，時人盡以為狂。然獨有聖賢之明，人莫可與語，以內視若盲，反聽若聾。大夫種入其縣，知有賢者，未睹所在，求邑中，不得其邑人，以為狂夫多賢士，眾賤有君子，泛求之焉。得蠡而悅，乃從官屬，問治之術。蠡修衣冠，有頃而出。進退揖讓，君子之容。終日而語，疾陳霸王之道。志合意同，胡越相從。俱見霸兆出於東南，捐其官位，相要而往臣。小有所虧，大有所成。捐止於吳。或任子胥，二人以為胥在，無所關其辭。種曰：「今將安之？」蠡曰：「彼為我，何邦不可乎？」去吳之越，句踐賢之。種躬正內，蠡治出外，內濁不煩，外無不得。（《越絕書》〈越絕外傳紀策考〉）

大恩不報

范蠡離開越國之後，計然假裝發瘋，大夫曳庸、扶同、皋如等人也一天天與越王疏遠。大夫文種心中憂鬱，不再上朝。有人在越王面

前詆毀他說：「文種是忌恨大王稱霸諸侯後官職沒得到提升，爵位也沒進一步增加，心中憤恨怕被人察覺，所以才不上朝啊。」文種聽到傳言，向越王解釋說：「過去我之所以起早貪黑，夜以繼日地工作，只是因為有吳國存在。現在吳國已經滅亡，大王還擔憂什麼呢？」越王並不認同文種的解釋。君臣之間的裂痕越來越深，終於有一天，越王召見文種，對他說：「你有祕計妙法能顛覆敵國。那九種計策，寡人只用了三種就已經攻破了強大的吳國，還有六種沒有使用，你就用剩下的方法去為我的先君效命吧。」文種仰天嘆息說：「唉！我聽說大的恩德是得不到報答的，大的功勞是得不到酬勞的。現在就是如此！真後悔沒有聽從范蠡的忠言。」越王賜給文種屬鏤寶劍讓他自殺。文種手握屬鏤劍，譏笑自己說：「往後各代的忠臣，一定會以我為鑑的。」於是伏劍自殺。越王把文種埋葬在越國的西山，又分派水兵三千，為文種建造了豪華的墓道，傳說墓道深入到三峰之下。文種被葬七年之後，伍子胥從海上過來鑿通山腰挾持文種而去，和他一起在海上漂蕩。人們說，每次漲潮時，在前面興風作浪的是伍子胥，隨後洶湧而至的是大夫文種。

【出處】

　　自是之後，計研佯狂，大夫曳庸、扶同、皋如之徒，日益疏遠，不親於朝。大夫種內憂，不朝，人或讒之於王曰：「文種棄宰相之位，而令君王霸於諸侯。今官不加增，位不益封，乃懷怨望之心，憤發於內，色變於外，故不朝耳。」異日，種諫曰：「臣所以在朝而晏罷，若身疾作者，但為吳耳。今已滅之，王何憂乎？」越王默然。……越王復召相國，謂曰：「子有陰謀兵法，傾敵取國。九術之

策，今用三已破強吳，其六尚在子所，願幸以餘術，為孤前王於地下謀吳之前人。」於是種仰天嘆曰：「嗟乎！吾聞大恩不報，大功不還，其謂斯乎？吾悔不隨范蠡之謀，乃為越王所戮。吾不食善言，故喃以人惡。」越王遂賜文種屬盧之劍，種得劍又嘆曰：「南陽之宰而為越王之擒！」自笑曰：「後百世之末，忠臣必以吾為喻矣。」遂伏劍而死。越王葬種於國之西山，樓船之卒三千餘人，造鼎足之羨，或入三峰之下。葬七年，伍子胥從海上穿山脅而持種去，與之俱浮於海。故前潮水潘候者，伍子胥也，後重水者，大夫種也。（《吳越春秋》〈勾踐伐吳外傳〉）

人身而犬吠

文種是楚國南郢人，姓文名種，字子禽。楚平王在位時曾做過宛城縣令。一次前往三戶之里，遇見范蠡蹲在狗洞裡向他吠叫，隨從怕文種感到羞恥，就讓人拿衣服把范蠡遮掩起來。文種說：「不必遮蔽。我聽說，狗會對著人吠叫。今天我到了這裡，感覺到有聖人的氣場，所以一直在觀察尋訪。以人的身軀模仿狗叫，正是把我當人看待呢。」於是下車拜會范蠡，終成至交。

【出處】

文種者，本楚南郢人也。姓文，名種，字子禽。荊平王時為宛令，之三戶之里，范蠡從犬竇蹲而吠之，從吏恐文種慚，令人引衣而障之。文種曰：「無障也。吾聞犬之所吠者人。今吾到此，有聖人之

氣，行而求之，來至於此。且人身而犬吠者，謂我是人也。」乃下車拜，蠡不為禮。（《史記》〈越王勾踐世家〉）

鴟夷子皮

范蠡改名換姓、乘船漂洋渡海來到齊國，自稱「鴟夷子皮」，在海邊辛勤耕作，努力生產，父子合力經營產業。沒過多久，就積累了幾十萬金的財產。齊人知道他的賢名，推薦他出任國相。范蠡嘆息說：「做生意能快速致富，做官能高居相位，這是平民百姓做夢也難企及的。人總是處在高點，並不吉利。」於是歸還相印，散盡家財，攜帶珠寶細軟悄然離去，最後在陶地居住下來。范蠡認為這裡是交通樞紐，四通八達，很適合做買賣，於是自稱陶朱公，不久就重演了初入齊國的故事，積攢下巨額資產。天下人都知道齊國有個善於經營的大富豪陶朱公。

【出處】

范蠡浮海出齊，變姓名，自謂鴟夷子皮，耕於海畔，苦身戮力，父子治產。居無幾何，致產數十萬。齊人聞其賢，以為相。范蠡喟然嘆曰：「居家則致千金，居官則至卿相，此布衣之極也。久受尊名，不祥。」乃歸相印，盡散其財，以分與知友鄉黨，而懷其重寶，間行以去，止於陶，以為天下之中，交易有無之路通，為生可以致富矣。於是自謂陶朱公。復約要父子耕畜，廢居，候時轉物，逐什一之利。居無何，則致貲累巨萬。天下稱陶朱公。（《史記》〈越王勾踐世家〉）

太盛難守

　　如果現在有五把錐子，最鋒利的那把必先折斷；有五把刀，磨得最快的那把必先卷刃。所以，甘甜的水井最容易乾涸，高大的樹木最容易砍伐，靈驗之龜最易被占卦火灼，神異之蛇最先被曝曬求雨。比干被挖心，是因為他耿直；孟賁被殺，是因為他好勇；西施被沉江，是因為長得美麗；吳起被車裂，是因為他有大功。很少有人不是死於他們的所長。所以說：「太盛難守。」

【出處】

　　今有五錐，此其銛，銛者必先挫。有五刀，此其錯，錯者必先靡。是以甘井近竭，招木近伐，靈龜近灼，神蛇近暴。是故比干之殪，其抗也；孟賁之殺，其勇也；西施之沈，其美也；吳起之裂，其事也。故彼人者，寡不死其所長，故曰「太盛難守」也。（《墨子》〈親士〉）

　　西子蒙不潔，則人皆掩鼻而過之。雖有惡人，齊戒沐浴，則可以祀上帝。（《孟子》〈離婁下〉）

　　以人之情為欲，此五綦者而不欲多，譬之，是猶以人之情為欲富貴而不欲貨也，好美而惡西施也。（《荀子》〈正論〉）

明主者有三懼

英明的君主最忌諱三點：一怕身居高位而覺察不到自己的過失；二怕得意時驕傲自滿；三怕聽到好的建議而不採納。越王勾踐率軍與吳國交戰，將吳軍打得大敗，吞併了整個吳國。當時他南面稱霸，於是召集遠近的群臣，專門下令說：「如果知道我有過錯而不肯指出來的，處以死罪。」這就是身居高位而擔心覺察不到自己過失的例子。

【出處】

明主者有三懼，一曰處尊位而恐不聞其過，二曰得意而恐驕，三曰聞天下之至言而恐不能行，何以識其然也？越王勾踐與吳人戰，大敗之，兼有九夷，當是時也，南面而立，近臣三，遠臣五，令群臣曰：「聞吾過而不告者其罪刑。」此處尊位而恐不聞其過者也。（《說苑》〈君道〉）

語兒亭

嘉興縣縣南一百里有一座語兒亭，傳說當年勾踐令范蠡送取西施前往吳國，西施在途中與范蠡私通，三年才到達吳國，中間兩人還生了個兒子，到達此亭時，兒子已經一歲，能開口說話，因而取名語兒亭。《越絕書》中說：「西施於吳國滅亡之後，重回越國，與范蠡同泛五湖而去。」

　　縣南一百里有語兒亭，勾踐令范蠡取西施以獻夫差，西施於路與范蠡潛通，三年始達於吳，遂生一子。至此亭，其子一歲能言，因名語兒亭。《越絕書》曰：「西施亡吳國後，復歸范蠡，同泛五湖而去。」（《吳地記》）

范蠡救子

　　朱公住在陶地，生了小兒子。小兒子長大成人後，朱公的二兒子在楚國殺人被拘捕。朱公說：「殺人者抵命，這是常理。但我也聽說過千金之子不死於市的說法。」於是讓小兒子前往楚國營救二兒子。小兒子準備出發時，朱公的大兒子也請求同往，朱公不同意。大兒子說：「家裡的長子叫家督，現在弟弟犯了罪，父親不派長子去，卻派小弟弟前往，這說明我是不肖之子。」大兒子以自殺相脅。他的母親替他說：「現在派小兒子去，未必能救二兒子，卻先喪失了大兒子，怎麼辦？」朱公不得已同意派大兒子前往，寫了一封信要大兒子送給舊日的好友莊生，並對大兒子說：「到楚國後，要把千金送到莊生家，一切聽從他去辦理，千萬不要與他發生爭執。」大兒子出發時，私自攜帶了幾百鎰黃金。大兒子到達楚國後，見莊生的家靠近楚都外城，推開野草才能到達莊生家門，居住條件十分寒磣。大兒子按照父親的吩咐打開信，向莊生進獻千金。莊生說：「你可以趕快離去了，千萬不要留在此地！等弟弟釋放後，不要問原因。」大兒子遵囑離去，不再探望莊生，但私自留在了楚國，把自己攜帶的黃金送給了

楚國主事的達官貴人。莊生雖然住在窮鄉陋巷，因為廉潔正直，在楚國卻很有名氣，朝廷上下都尊奉他為老師。大兒子獻上黃金，他並非有心收下，只是想事成之後再歸還朱公以示講信用。所以黃金送來後，他就對妻子說：「這是朱公的錢財，以後再如數歸還朱公，但哪一天歸還卻不得而知，這就如同自己哪一天生病也不能事先得知一樣，千萬不要動用。」大兒子不知莊生的意思，以為黃金送給莊生不會起什麼作用。莊生入宮會見楚王說：「某星宿移到某處，這將對楚國有危害。」楚王平時十分信任莊生，就問：「現在怎麼辦呢？」莊生說：「只有實行仁義道德才可以免除災害。」楚王說：「您不用多說，我明白了。」楚王於是派使者查封貯藏三錢的倉庫。得到朱公大兒子好處的達官貴人吃驚地告訴朱公的大兒子說：「楚王將要實行大赦了。」大兒子問：「怎麼見得呢？」貴人說：「每當楚王大赦時，常常先查封貯藏三錢的倉庫。昨晚楚王已派使者將其查封。」朱公大兒子認為既然大赦，弟弟自然可以釋放了，一千鎰黃金等於虛擲莊生處沒發揮作用，於是又去見莊生。莊生驚奇地問：「你還沒離開嗎？」大兒子說：「始終沒離開。當初我為弟弟一事來，今天楚國正商議大赦，弟弟自然得到釋放，所以我特意來向您告辭。」莊生知道他想拿回黃金，就說：「你自己到房間裡去取黃金吧。」大兒子取走黃金離開莊生，私自慶幸黃金失而復得。莊生被小兒輩出賣深感羞恥，就又入宮會見楚王說：「我上次所說的某星宿的事，您說想用做好事來回報它。現在，我在外面聽路人說陶地富翁朱公的兒子殺人後被楚囚禁，他家派人拿出很多金錢賄賂楚王左右的人，所以君王並非體恤楚人實行大赦，而是因為朱公兒子才大赦的。」楚王大怒說：「我雖然無德，怎麼會因為朱公的兒子佈施恩惠呢！」於是下令先殺掉朱公的

兒子，然後才下達大赦的詔令。朱公的大兒子只好攜帶弟弟的屍體回家。回到家後，母親和鄉鄰都十分悲痛，只有朱公冷笑著說：「我本來就知道大兒子一定救不了弟弟！他不是不愛自己的弟弟，只是捨不得放棄錢財。他年幼就與我生活在一起，經受過各種艱辛，知道生活的艱難，所以把錢財看得很重，不敢輕易花錢。至於小弟弟呢，一生下來就看到我十分富有，乘坐上等車、驅駕千里馬到郊外打獵，哪裡知道錢財從何處來？所以把錢財看得極輕，棄之也毫不吝惜。原來我打算讓小兒子去，就是因為他捨得棄財。大兒子不能棄財，所以終於害死了自己的弟弟，這很合乎事理，不值得悲痛。我日夜盼望的就是二兒子的屍首能早點送回來。」

【出處】

朱公居陶，生少子。少子及壯，而朱公中男殺人，囚於楚。朱公曰：「殺人而死，職也。然吾聞千金之子不死於市。」告其少子往視之。乃裝黃金千溢，置褐器中，載以一牛車。且遣其少子，朱公長男固請欲行，朱公不聽。長男曰：「家有長子曰家督，今弟有罪，大人不遣，乃遣少弟，是吾不肖。」欲自殺。其母為言曰：「今遣少子，未必能生中子也，而先空亡長男，奈何？」朱公不得已而遣長子，為一封書遺故所善莊生。曰：「至則進千金於莊生所，聽其所為，慎無與爭事。」長男既行，亦自私齎數百金。至楚，莊生家負郭，披藜藋到門，居甚貧。然長男發書進千金，如其父方。莊生曰：「可疾去矣，慎毋留！即弟出，勿問所以然。」長男既去，不過莊生而私留，以其私齎獻遺楚國貴人用事者。莊生雖居窮閻，然以廉直聞於國，

自楚王以下皆師尊之。及朱公進金，非有意受也，欲以成事後復歸之以為信耳。故金至，謂其婦曰：「此朱公之金。有如病不宿誡，後復歸，勿動。」而朱公長男不知其意，以為殊無短長也。莊生間時入見楚王，言：「某星宿某，此則害於楚。」楚王素信莊生，曰：「今為奈何？」莊生曰：「獨以德為可以除之。」楚王曰：「生休矣，寡人將行之。」王乃使使者封三錢之府。楚貴人驚告朱公長男曰：「王且赦。」曰：「何以也？」曰：「每王且赦，常封三錢之府。昨暮王使使封之。」朱公長男以為赦，弟固當出也，重千金虛棄莊生，無所為也，乃復見莊生。莊生驚曰：「若不去邪？」長男曰：「固未也。初為事弟，弟今議自赦，故辭生去。」莊生知其意欲復得其金，曰：「若自入室取金。」長男即自入室取金持去，獨自歡幸。莊生羞為兒子所賣，乃入見楚王曰：「臣前言某星事，王言欲以修德報之。今臣出，道路皆言陶之富人朱公之子殺人囚楚，其家多持金錢賂王左右，故王非能恤楚國而赦，乃以朱公子故也。」楚王大怒曰：「寡人雖不德耳，奈何以朱公之子故而施惠乎！」令論殺朱公子，明日遂下赦令。朱公長男竟持其弟喪歸。至，其母及邑人盡哀之，唯朱公獨笑，曰：「吾固知必殺其弟也！彼非不愛其弟，顧有所不能忍者也。是少與我俱，見苦，為生難，故重棄財。至如少弟者，生而見我富，乘堅驅良逐狡兔，豈知財所從來，故輕棄之，非所惜吝。前日吾所為欲遣少子，固為其能棄財故也。而長者不能，故卒以殺其弟，事之理也，無足悲者。吾日夜固以望其喪之來也。」（《史記》〈越王勾踐世家〉）

何必於越

越王對墨子的學生公尚過說：「先生假如能讓墨子到越國教導我，我願意以昔日吳國的土地五百里封給墨子。」公尚過於是到魯國遊說墨子說：「我用老師的學說勸說越王，越王非常高興，對我說：『假如墨子能到越國教導我，我願意以昔日吳國的土地五百里賜封墨子。』」墨子對公尚過說：「你觀察越王的志向如何？如果越王能聽從我的言論，採用我的學說，那麼我就樂意前往。如果越國不聽從我的言論，不採納我的學說，我去越國，那就是出賣人格，同樣是出賣人格，在中原國家就行，又何必要跑到越國呢！」

【出處】

子墨子游公尚過於越。公尚過說越王，越王大說，謂公尚過曰：「先生苟能使子墨子於越而教寡人，請裂故吳之地，方五百里，以封子墨子。」公尚過許諾，遂為公尚過束車五十乘，以迎子墨子於魯，曰：「吾以夫子之道說越王，越王大說，謂過曰：『苟能使子墨子至於越，而教寡人，請裂故吳之地，方五百里，以封子。』」子墨子謂公尚過曰：「子觀越王之志何若？意越王將聽吾言，用吾道，則翟將往，量腹而食，度身而衣，自比於群臣，奚能以封為哉！抑越不聽吾言，不用吾道，而吾往焉，則是我以義糶也。鈞之糶，亦於中國耳，何必於越哉！」（《墨子》〈魯問〉）

不知所以亡

越王翳（授）有四個兒子。越王的弟弟豫覬覦王位，於是在越王面前誹謗他們，越王一連殺死了三個兒子，國人非常不滿，紛紛指責越王。豫繼續詆毀太子諸咎，鼓動越王殺死太子。太子諸咎擔心自己難逃被害的命運，於是藉助國人把豫驅逐出境，并包圍王宮，逼宮父王。越王臨死前嘆息說：「我沒有聽從豫的勸告，以致落到今天的下場。」他至死也沒弄明白自己為什麼被害。

【出處】

越王翳（授）有子四人。越王之弟曰豫，欲盡殺之，而為之後。惡其三人而殺之矣。國人不說，大非上。又惡其一人而欲殺之，越王未之聽。其子恐必死，因國人之欲逐豫，圍王宮。越王太息曰：「余不聽豫之言，以罹此難也。」亦不知所以亡也。（《呂氏春秋》〈季秋紀‧審己〉）

薰之以艾

越國連續三次發生君主被害的事件。王子搜心中恐懼，逃入採掘丹砂的礦井裡。越國無主，到處找不到王子搜，後來才發現他躲在礦井下。王子搜不肯出來，越國人只好燃艾煙薰他出來，拖他登上王車。王子搜掙扎呼喊說：「君主啊！君主啊！為什麼非要選擇我呢？」王子搜並非害怕做君主，他是怕做君主不得好死。正因為王子搜悲憫

殺生，越國上下才極力推舉他擔任君主。

【出處】

　　越人三世弒其君，王子搜患之，逃乎丹穴，而越國無君。求王子搜不得，從之丹穴。王子搜不肯出，越人薰之以艾。乘以王輿。王子搜援綏登車，仰天而呼曰：「君乎，君乎，獨不可以舍我乎！」王子搜非惡為君也，惡為君之患也。若王子搜者，可謂不以國傷生矣！此固越人之所欲得為君也。（《莊子》〈雜篇・讓王〉）

無變國俗

　　越國的使者諸發拿著一枝梅花獻給梁王。梁王有個臣子叫韓子，對左右的官員說：「哪有只用一枝梅花來贈送國君的？各位看我去羞辱他。」他出來對諸發說：「大王有命令，客人戴上帽子，就以禮相見，沒有帽子就不予接見。」諸發說：「越國也是天子所封的諸侯國，不能住在冀州、兗州等地，只能居住在偏遠的海濱，好不容易驅逐異族，蛟龍又來與我們爭鬥。所以我們剪髮文身，塗上斑斕的色彩來像徵龍的族裔，為的是讓水神躲避我們。如今大國下令戴帽子就按禮儀接見，否則不見。如果大國的使節有機會路過我國，我們的君王也下命令說：『來客必須剪髮文身，然後才能接見。』貴國會覺得怎樣呢？如果你們覺得心安理得，我可以借頂帽子來朝見；如果覺得欠妥，希望你們不要改變我們的習俗。」梁王聽說了這些話，立即披上衣服出來接見諸發，並下令趕走了韓子。

無變國俗

越使諸發執一枝梅遺梁王，梁王之臣曰韓子，顧謂左右曰：「惡有以一枝梅，以遺列國之君者乎？請為二三日慚之。」出謂諸發曰：「大王有命，客冠則以禮見，不冠則否。」諸發曰：「彼越亦天子之封也。不得冀、兗之州，乃處海垂之際，屏外蕃以為居，而蛟龍又與我爭焉。是以剪髮文身，爛然成章以像龍子者，將避水神也。今大國其命冠則見以禮，不冠則否。假令大國之使，時過弊邑，弊邑之君亦有命矣。曰：『客必剪髮文身，然後見之。』於大國何如？意而安之，願假冠以見，意如不安，願無變國俗。」梁王聞之，披衣出，以見諸發。令逐韓子。（《說苑》〈奉使〉）

猶尚越聲

越人莊舄在楚國做官，做到執珪的爵位。後來他生病了，楚王說：「莊舄原本是越國一個地位低微的人，如今做到執珪的爵位，富貴了，也不知想不想念越國？」中謝回答說：「大凡人們思念自己的故鄉，往往是在他生病的時候，假如他思念越國，就會操越國的腔調，要是不思念越國，就會操楚國的腔調。」於是派人前往偷聽，結果聽見是操越國的腔調。

越人莊舄仕楚執珪，有頃而病。楚王曰：「舄故越之鄙細人也，今仕楚執珪，貴富矣，亦思越不？」中謝對曰：「凡人之思故，在其

病也。彼思越則越聲，不思越則楚聲。」使人往聽之，猶尚越聲也。（《史記》〈張儀列傳〉）

知二五而不知十

　　越王無彊是勾踐的六世孫。無彊想重振越國的昔日雄風，於是北伐齊國、西征楚國，想以此與中原各國爭勝。齊威王派使者極力慫恿無彊攻打楚國，批評越國「見其毫而不見其睫」說：「如今楚國的三個大夫已分率軍隊，向北包圍了曲沃、於中，直到無假關，戰線總長為三千七百里，景翠的軍隊集結在北部的魯國、齊國和南陽，兵力如此分散，越國再不出兵，這就好比知二五而不知十。這時不攻打楚國，我覺得越王從大處說不想稱王，從小處說不想稱霸。」於是越國放棄攻齊轉而攻打楚國。楚威王發兵迎擊越軍，大敗越軍，殺死無彊，佔領了原來吳國一直到浙江的土地，並於徐州大敗齊軍。越國自此分崩離析，各族子弟競相爭權，或稱王，或為君，服服貼貼向楚國朝貢。

【出處】

　　王無彊時，越興師北伐齊，西伐楚，與中國爭強。當楚威王之時，越北伐齊，齊威王使人說越王曰：「越不伐楚，大不王，小不伯。圖越之所為不伐楚者，為不得晉也。韓、魏固不攻楚。韓之攻楚，覆其軍，殺其將，則葉、陽翟危；魏亦覆其軍，殺其將，則陳、上蔡不安。故二晉之事越也，不至於覆軍殺將，馬汗之力不效。所重

於得晉者何也？」越王曰：「所求於晉者，不至頓刃接兵，而況於攻城圍邑乎？願魏以聚大梁之下，願齊之試兵南陽莒地，以聚常、郯之境，則方城之外不南，淮、泗之間不東，商、於、析、酈、宗胡之地，夏路以左，不足以備秦，江南、泗上不足以待越矣。則齊、秦、韓、魏得志於楚也，是二晉不戰分地，不耕而獲之。不此之為，而頓刃於河山之間以為齊、秦用，所待者如此其失計，奈何其以此王也！」齊使者曰：「幸也越之不亡也！吾不貴其用智之如目，見毫毛而不見其睫也。今王知晉之失計，而不自知越之過，是目論也。王所待於晉者，非有馬汗之力也，又非可與合軍連和也，將待之以分楚眾也。今楚眾已分，何待於晉？」越王曰：「奈何？」曰：「楚三大夫張九軍，北圍曲沃、於中，以至無假之關者三千七百里，景翠之軍北聚魯、齊、南陽，分有大此者乎？且王之所求者，鬥晉楚也；晉楚不鬥，越兵不起，是知二五而不知十也。此時不攻楚，臣以是知越大不王，小不伯。復仇、龐、長沙，楚之粟也；竟澤陵，楚之材也。越窺兵通無假之關，此四邑者不上貢事於郢矣。臣聞之，圖王不王，其敝可以伯。然而不伯者，王道失也。故願大王之轉攻楚也。」於是越遂釋齊而伐楚。楚威王興兵而伐之，大敗越，殺王無疆，盡取故吳地至浙江，北破齊於徐州。而越以此散，諸族子爭立，或為王，或為君，賓於江南海上，服朝於楚。（《史記》〈越王勾踐世家〉）

燕國卷

　　燕國是周朝分封的北方姬姓諸侯國，侯爵，開國君主召公奭為宗室大臣，與周武王、周公旦同輩，分封時間也與召公、呂尚大致相當。從召公奭創國到西元前二二二年燕王喜亡國，其間共歷四十三君、約八百二十二年。燕昭王姬平是燕國歷史上最有作為的君主，即位後招賢納士、勵精圖治，國力大增。西元前二八四年，昭王以樂毅為上將軍，與秦、趙、韓、魏等國聯軍攻入齊國，幾乎佔有齊國全境（除莒、即墨二城外）。全盛時期的燕國疆域包括今北京、天津、河北全部及遼寧、山西、內蒙古和朝鮮、韓國一部分。戰國末荊軻刺秦王的故事令人印象深刻。

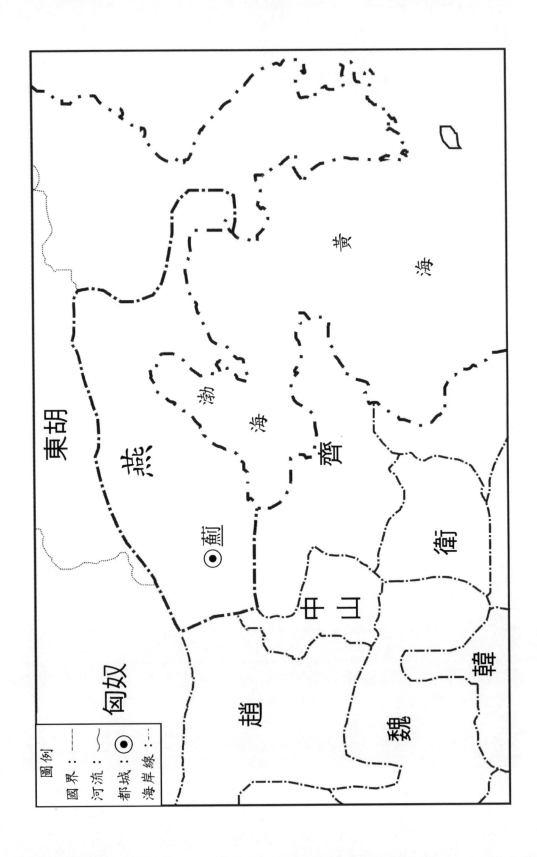

東胡

黃
海

匈奴

燕

渤
海

齊

薊
⊙

衛

中山

韓

趙

魏

圖例
國界：—·—
河流：～
都城：⊙
海岸線：…—

甘棠之詩

　　召公治理西部一帶，很受老百姓的擁戴。召公到城鄉巡察，就坐在一棵棠梨樹下辦公，決斷訴訟，處理公務。在召公的治理下，上至侯伯，下至平民，都得到很好的安置，沒有失業的。召公去世後，老百姓思念他的政績，懷念那棵棠梨樹，捨不得砍伐，作了篇名為《甘棠》的詩歌歌詠它。[1]

【出處】

　　召公之治西方，甚得兆民和。召公巡行鄉邑，有棠樹，決獄政事其下，自侯伯至庶人各得其所，無失職者。召公卒，而民人思召公之政，懷棠樹不敢伐，哥詠之，作《甘棠》之詩。（《史記》〈燕召公世家〉）

道路以目

　　周厲王當政的時候，因施行暴政，遭到國人的非議。召公勸諫厲王說：「人民不堪忍受您的政令了。」厲王大怒，找到了一個衛國巫師，派他監視非議朝政的人。凡非議朝政者殺無赦。不久，非議朝政的果然少了，諸侯也不再來朝見。國人不敢說話，走在路上只能以目光示意。厲王很得意，告訴召公說：「我能平息人們的非議，令他

1.　《甘棠》之詩，參見《詩經》〈國風・召南・甘棠〉。

們連話也不敢講。」召公說：「這是因為您把他們的嘴堵上了。堵人民的嘴比堵水還要危險。水堵了會決堤氾濫，會傷害很多人。堵人民的嘴也一樣。治水重在疏導，治人重在暢所欲言。天子為體察民情，讓公卿列士獻詩，讓樂師獻曲，讓史官獻書，讓師傅規誡，讓盲師誦賦不停，讓百工勸諫，讓庶人街談巷議，讓近臣規勸，讓親戚補察過失，讓史官講解，請老人訓導，最後由帝王斟酌，所以政令得以施行而不違背情理。老百姓有嘴巴，就好比土地上有山川、平原、窪地，是財貨和衣食之源。讓人開口講話，倡導言論自由，才能知道判別好壞的標準；如果把大家的嘴都堵起來，朝政又怎麼能長久呢？」厲王不聽。因此國內沒人敢講話。過了三年，國內發生叛亂，厲王被迫逃亡到彘地。

【出處】

王行暴虐侈傲，國人謗王。召公諫曰：「民不堪命矣。」王怒，得衛巫，使監謗者，以告則殺之。其謗鮮矣，諸侯不朝。三十四年，王益嚴，國人莫敢言，道路以目。厲王喜，告召公曰：「吾能弭謗矣，乃不敢言。」召公曰：「是鄣之也。防民之口，甚於防水。水壅而潰，傷人必多，民亦如之。是故為水者決之使導，為民者宣之使言。故天子聽政，使公卿至於列士獻詩，瞽獻曲，史獻書，師箴，瞍賦，矇誦，百工諫，庶人傳語，近臣盡規，親戚補察，瞽史教誨，耆艾修之，而後王斟酌焉，是以事行而不悖。民之有口也，猶土之有山川也，財用於是乎出；猶其有原隰衍沃也，衣食於是乎生。口之宣言也，善敗於是乎興。行善而備敗，所以產財用衣食者也。夫民慮之於心而宣之於口，成而行之。若壅其口，其與能幾何？」王不聽。於是

國莫敢出言，三年，乃相與畔，襲厲王。厲王出奔於彘。(《史記》〈周本紀〉)

怨而不怒

周厲王逃亡到彘地，太子靜躲在召公家裡，叛亂的國人得知召公收留太子的消息，便把召公家包圍起來。召公說：「從前我屢次勸諫大王，大王不聽，而遭此大難。現在如果殺死太子，大王會認為我是因為記仇而洩憤吧？侍奉主人，雖然身處危難也不記仇，雖然心有怨氣也不發洩，何況是侍奉天子呢！」召公以自己的兒子代替太子交給國人，太子因此倖免於難。

【出處】

厲王太子靜匿召公之家，國人聞之，乃圍之。召公曰：「昔吾驟諫王，王不從，以及此難也。今殺王太子，王其以我為讎而懟怒乎？夫事君者，險而不讎懟，怨而不怒，況事王乎！」乃以其子代王太子，太子竟得脫。(《史記》〈周本紀〉)

寒窗苦讀

蘇秦是東周洛陽人，曾在鬼谷子門下學習。蘇秦外出遊歷多年，弄得窮困潦倒後，狼狽地回到家裡。兄嫂、弟妹、妻妾都私下譏笑他，說：「周國人的習俗是，人們都治理產業，努力從事工商，追求

那十分之二的盈利為事業。如今您丟掉本行而去幹耍嘴皮子的事，窮困潦倒。不也應該嘛！」蘇秦聽了這些話，暗自慚愧、傷感，就閉門不出，把自己的藏書全部閱讀了一遍，說：「一個讀書人既然已經從師受教，埋頭讀書，可又不能憑藉它獲得榮華富貴，即使讀書再多，又有什麼用呢？」後來得到一本《周書陰符》，伏案鑽研它。他經常讀書讀到深夜，疲倦到想要打盹的時候，就用事先準備好的錐子往大腿上刺一下，這樣突然的痛感使他猛然清醒起來，就能振作精神繼續讀書。下了一整年的功夫，悉求真諦，終於找到與國君相合的門道，激動地說：「就憑這些足可以遊說當代的國君了。」

【出處】

　　蘇秦者，東周洛陽人也。東事師於齊，而習之於鬼谷先生。出游數歲，大困而歸。兄弟嫂妹妻妾竊皆笑之，曰：「周人之俗，治產業，力工商，逐什二以為務。今子釋本而事口舌，困，不亦宜乎！」蘇秦聞之而慚，自傷，乃閉室不出，出其書遍觀之。曰：「夫士業已屈首受書，而不能以取尊榮，雖多亦奚以為！」於是得周書《陰符》，伏而讀之。期年，以出揣摩，曰：「此可以說當世之君矣。」（《史記》〈蘇秦列傳〉）

轉禍而為福

　　燕文公時，秦惠王把女兒嫁給燕國太子。燕文公去世後，太子順利繼位。齊宣王趁燕國大喪之際發兵攻打燕國，奪取了十座城邑。武

安君蘇秦為燕國的利益去遊說齊宣王。見到宣王後，先拜了兩拜表示祝賀，接著就仰起頭表示哀悼。齊王起身怒斥蘇秦說：「你這人怎麼回事，剛拜賀就說不吉利的話！」蘇秦回答說：「人餓的時候，之所以不吃烏頭，是懂得即使能填飽肚子，很快也會中毒而死。現在燕國雖然弱小，但也是強秦的翁婿之邦。大王貪圖十座城邑，卻與強秦結下了深仇。如果秦國以弱小的燕國為先鋒，自己做後盾，召集天下的精兵攻擊您，齊國豈不是跟吃烏頭充饑一樣危險嗎？」齊宣王說：「依你之言，該怎麼辦呢？」蘇秦回答說：「聖人做事，能夠轉禍為福，因敗取勝。因此，儘管齊桓公為女色所累，卻不妨礙他的地位尊貴；韓厥雖因殺人得罪，但地位卻越發穩固。這些都是轉禍為福、因敗建功的例子。大王不如聽從我的意見，儘快歸還燕國的十座城邑，並用謙恭的言辭向秦國道歉。秦國得到尊重，一定禮待大王；燕國平安收回城邑，也會感激不盡。大王化敵為友，連燕、秦都會討好齊國，大王再發號施令，天下諸侯誰會不聽從呢？這是霸主的事業，也是轉禍為福、因敗建功的好辦法。」齊宣王聽說後非常高興，於是送還燕國的城邑，並以千金致歉；又向秦國懇求恕罪，希望結為兄弟之邦。

【出處】

　　燕文公時，秦惠王以其女為燕太子婦。文公卒，易王立。齊宣王因燕喪攻之，取十城。武安君蘇秦為燕說齊王，再拜而賀，因仰而弔。齊王案戈而卻曰：「此一何慶弔相隨之速也？」對曰：「人之饑所以不食烏喙者，以為雖偷充腹，而與死同患也。今燕雖弱小，強秦之少婿也。王利其十城，而深與強秦為仇。今使弱燕為雁行，而強

秦制其後，以招天下之精兵，此食鳥喙之類也。」齊王曰：「然則奈何？」對曰：「聖人之制事也。轉禍而為福，因敗而為功。故桓公負婦人而名益尊，韓獻開罪而交愈固，此皆轉禍而為福，因敗而為功者也。王能聽臣，莫如歸燕之十城，卑辭以謝秦。秦知王以己之故歸燕城也，秦必德王。燕無故而得十城，燕亦德王。是棄強仇而立厚交也。且夫燕、秦之俱事齊，則大王號令天下皆從。是王以虛辭附秦，而以十城取天下也。此霸王之業矣。所謂轉禍為福，因敗成功者也。」（《戰國策》〈燕一〉）

何罪之有

　　有人在燕易王面前誹謗蘇秦說：「武安君是天底下最不講信義的人。大王以萬乘之尊去俯就他，在朝廷上尊崇他，這是向天下人顯示自己與小人為伍啊。」蘇秦從齊國歸來，燕王竟然不給他安排住處。蘇秦對燕王說：「我本是東周的鄉野小民，初見大王時，沒有半點功勞，大王卻到郊外迎接我，使我在朝廷上地位顯赫。現在我為大王出使齊國，收回十座城邑，有挽救燕國的功勞，大王反而不再信任我。一定是有人說我不守信義，在大王面前中傷我。其實，我不講信義，那倒是您的福氣。假使我像尾生那樣守信，像伯夷那樣廉潔，像曾參那樣孝順，以三人的高尚品行來為大王效命，是不是可以呢？」燕王說：「當然可以。」蘇秦說：「如果真是這樣，我也就不會來侍奉大王了。因為，臣如果像曾參那樣孝順，就一天也不能離開父母，又怎麼會來到齊國呢？像伯夷那樣廉潔，寧肯餓死在首陽山，也拒不接受孤竹國的君位，又怎麼肯步行幾千里，來為弱小的燕國效命呢？像尾

何罪之有

生那樣守信，寧願抱柱而死，也不願失約離開，又怎麼會到齊國宣揚燕秦的威力呢？大王是滿足現狀的君主，而我是謀求進取的臣子，這就是因為忠信而得罪於君主的原因啊。」燕王說：「忠信有什麼可責怪的呢？」蘇秦說：「我跟您講個故事。我有個鄰居在外地做官，他的妻子跟人私通。眼看丈夫就要回來了，和她私通的人很憂慮。妻子對她情夫說：『別擔心，我已經準備了毒酒等著他呢。』過了兩天，丈夫到家了，妻子讓女僕捧著毒酒遞給她丈夫。女僕知道手上的是毒酒，如果送上去就要毒死男主人，如果說出實情女主人難免會被趕走。於是她假裝跌倒，潑掉了毒酒。男主人很生氣，就用竹板打她。女僕這一倒，對上救了男主人，對下保住了女主人。忠心到這種地步，卻仍然被責打，這不就是因為忠信反而受到責怪嗎？眼下我的處境，和潑掉毒酒反而受罰的女僕很類似。我侍奉大王，崇尚信義，使國家獲益，竟然受罰。我擔心以後侍奉您的人，沒有誰能倖免得罪。況且我勸說齊王，並不曾使用欺詐的手段。與其他遊說齊國的使者相比，我的話更切中要害罷了。所以即使他們有堯、舜一般的智慧，齊國也不會相信他們的話。」

【出處】

人有惡蘇秦於燕王者，曰：「武安君，天下不信人也。王以萬乘下之，尊之於廷，示天下與小人群也。」武安君從齊來，而燕王不館也。謂燕王曰：「臣東周之鄙人也，見足下身無咫尺之功，而足下迎臣於郊，顯臣於廷。今臣為足下使，利得十城，功存危燕，足下不聽臣者，人必有言臣不信，傷臣於王者。臣之不信，是足下之福也。使臣信如尾生，廉如伯夷，孝如曾參，三者天下之高行，而以事足

下，不可乎？」燕王曰：「可。」曰：「有此，臣亦不事足下矣。」蘇秦曰：「且夫孝如曾參，義不離親一夕宿於外，足下安得使之之齊？廉如伯夷，不取素餐，污武王之義而不臣焉，辭孤竹之君，餓而死於首陽之山。廉如此者，何肯步行數千里，而事弱燕之危主乎？信如尾生，期而不來，抱梁柱而死。信至如此，何肯楊燕、秦之威於齊而取大功哉？且夫信行者，所以自為也，非所以為人也。皆自覆之術，非進取之道也。且夫三王代興，五霸迭盛，皆不自覆也。君以自覆為可乎？則齊不益於營丘，足下不逾楚境，不窺於邊城之外。且臣有老母於周，離老母而事足下，去自覆之術，而謀進取之道，臣之趣固不與足下合者。足下皆自覆之君也，僕者進取之臣也，所謂以忠信得罪於君者也。」燕王曰：「夫忠信，又何罪之有也？」對曰：「足下不知也。臣鄰家有遠為吏者，其妻私人。其夫且歸，其私之者憂之。其妻曰：『公勿憂也，吾已為藥酒以待之矣。』後二日，夫至。妻使妾奉卮酒進之。妾知其藥酒也，進之則殺主父，言之則逐主母。乃陽僵棄酒。主父大怒而笞之。故妾一僵而棄酒，上以活主父，下以存主母也。忠至如此，然不免於笞，此以忠信得罪者也。臣之事，適不幸而有類妾之棄酒也。且臣之事足下，亢義益國，今乃得罪，臣恐天下後事足下者，莫敢自必也。且臣之說齊，曾不欺之也。使之說齊者，莫如臣之言也，雖堯、舜之智，不敢取也。」（《戰國策》〈燕一〉）

勸取蘇秦

趙國的奉陽君李兌不喜歡蘇秦。蘇秦回到燕國後，有人奉勸奉

陽君說：「齊國、燕國分裂，趙國就顯得重要，齊國、燕國聯合，趙國就無足輕重，現在您要讓齊、燕兩國聯合，我私下認為您的做法不可取。」奉陽君說：「誰說我要讓齊、燕兩國聯合了？」那人說：「在燕國控政的是蘇秦。燕國是個弱國，既不如東面的齊國強大，也不比西面的趙國強大，怎麼能既不跟齊國聯合，又失去西部趙國的邦交呢？您對蘇秦不友好，而蘇秦不能坐視弱小的燕國受孤立，這不是逼著燕國與齊國聯合是什麼？所以替您考慮，我認為喜不喜歡蘇秦，都應該結交他，以此使燕、齊兩國互相產生猜疑。燕、齊兩國互相猜疑，趙國就顯得重要。齊王如果懷疑蘇秦，趙國就會從中獲益啊。」奉陽君說：「說得對。」於是派使者去與蘇秦結交。

【出處】

奉陽君李兌甚不取於蘇秦。蘇秦在燕，李兌因為蘇秦謂奉陽君曰：「齊、燕離，則趙重，齊、燕合，則趙輕。今君之齊，非趙之利也。臣竊為君不取也。」奉陽君曰：「何吾合燕於齊？」對曰：「夫制於燕者，蘇子也。而燕弱國也，東不如齊，西不如趙，豈能東無齊、西無趙哉？而君甚不善蘇秦，蘇秦能抱弱燕而孤於天下哉？是驅燕而使合於齊也。且燕亡國之餘也，其以權立，以重外，以事貴。故為君計，善蘇秦則取，不善亦取之，以疑燕、齊。燕、齊疑，則趙重矣。齊王疑蘇秦，則君多資。」奉陽君曰：「善。」乃使使與蘇秦結交。（《戰國策》〈燕一〉）

蘇秦且死

　　蘇秦與燕易王的母親私通，燕易王知道了，不僅沒責怪蘇秦，反而更加厚待他。蘇秦害怕被殺，於是自告奮勇前往齊國從事間諜活動，通過削弱齊國以提高燕國地位。燕易王同意了。於是蘇秦假裝得罪燕王逃到齊國，齊宣王任用他為客卿。宣王去世，齊湣王繼位，蘇秦勸說湣王厚葬宣王以表明自己孝順，又慫恿湣王大興土木，以消耗齊國的實力。燕易王去世後，燕噲繼位。齊國眾大夫因爭寵派人刺殺蘇秦，蘇秦傷重未死。齊王派人捉拿兇手，但是沒有捉到。蘇秦臨死前，要求齊王以「幫助燕國在齊國從事反間活動」為名將他車裂於市，並懸賞行刺之人。齊王照計行事，兇手果然現身。

【出處】

　　易王母，文侯夫人也，與蘇秦私通。燕王知之，而事之加厚。蘇秦恐誅，乃說燕王曰：「臣居燕不能使燕重，而在齊則燕必重。」燕王曰：「唯先生之所為。」於是蘇秦詳為得罪於燕而亡走齊，齊宣王以為客卿。齊宣王卒，湣王即位，說湣王厚葬以明孝，高宮室大苑囿以明得意，欲破敝齊而為燕。燕易王卒，燕噲立為王。其後齊大夫多與蘇秦爭寵者，而使人刺蘇秦，不死，殊而走。齊王使人求賊，不得。蘇秦且死，乃謂齊王曰：「臣即死，車裂臣以徇於市，曰『蘇秦為燕作亂於齊』，如此則臣之賊必得矣。」於是如其言，而殺蘇秦者果自出，齊王因而誅之。燕聞之曰：「甚矣，齊之為蘇生報仇也！」（《史記》〈蘇秦列傳〉）

陳翠說太后

　　燕國大臣陳翠想促成齊、燕兩國結盟，提出讓燕王的弟弟到齊國做人質，燕王答應了。燕太后聽說後很生氣，說：「陳翠沒能力幫人治國也就算了，哪有分離人家母子的？看老婦怎麼收拾他。」陳翠主動提出拜見太后，燕王說：「太后正在氣頭上，您還是等一等吧。」陳翠說：「不要緊。」於是入宮拜見太后，說：「太后怎麼瘦了？」太后說：「因為憂慮公子到齊國做人質，能不瘦嗎？」陳翠說：「我看太后愛子女，不如平民百姓愛得深。不僅不愛子女，而且還特別不愛男孩子。」太后問：「為什麼這麼說？」陳翠回答說：「太后把女兒嫁給諸侯時，送錢又送地，把它看作女兒的終身大事。如今大王想要封賞公子，然而百官堅守職分，群臣效忠，都說公子沒有功勞，不應該封賞。如今大王讓公子去做人質，正是給公子立功的機會，日後好封賞他，然而太后卻不同意。臣下因此知道太后不愛兒子。如今太后和大王在世，所以公子地位尊貴。一旦太后、大王千秋之後太子即位，公子因為無功，地位只怕比平民還要卑賤，哪還有受封的機會呢？」太后說：「老婦不知道先生有這樣的打算。」於是讓人給公子準備車輛、製作衣服，安排他出發去齊國。

【出處】

　　陳翠合齊、燕，將令燕王之弟為質於齊，燕王許諾。太后聞之大怒曰：「陳公不能為人之國，亦則已矣，焉有離人子母者，老婦欲得志焉。」陳翠欲見太后，王曰：「太后方怒子，子其待之。」陳翠曰：

「無害也。」遂入見太后曰：「何臞者也？」太后曰：「賴得先王雁鶩之餘食，不宜臞。臞者，憂公子之且為質於齊也。」陳翠曰：「人主之愛子也，不如布衣之甚也。非徒不愛子也，又不愛丈夫子獨甚。」太后曰：「何也？」對曰：「太后嫁女諸侯，奉以千金，齎地百里，以為人之終也。今王願封公子，百官持職，群臣效忠，曰：『公子無功，不當封。』今王之以公子為質也，且以為公子功而封之也。太后弗聽，臣是以知人主之不愛丈夫子獨甚也。且太后與王幸而在，故公子貴；太后千秋之後，王棄國家，而太子即位，公子賤於布衣。故非及太后與王封公子，則公子終身不封矣。」太后曰：「老婦不知長者之計。」乃命公子束車製衣為行具。（《戰國策》〈燕二〉）

子之相燕

　　子之為燕國的國相，坐在那裡撒謊說：「跑出去的是什麼？是白馬嗎？」侍從都說沒看見。有一個人跑出去追趕，回報說：「有白馬。」子之通過這種方法考察侍從的誠信。

【出處】

　　子之相燕，坐而佯言：「走出門者何，白馬也？」左右皆言不見。有一人走追之，報曰：「有。」子之以此知左右之不誠信。（《韓非子》〈內儲說上七術〉）

宮他使魏

宮他為燕國出使魏國，請求援助，魏王沒有答應，還把他扣留了好幾個月。有客人對魏王說：「為什麼不答應燕國使者呢？」魏王說：「因為燕國發生內亂。」客人說：「商湯討伐夏桀的時候，希望夏桀國家混亂。發生大亂的國家，別國可以得到它的土地；發生小亂的國家，別國可以得到它的寶物。如今宮他說：『假若能夠得到幫助，即使奉獻全部寶物和土地，也在所不惜。』大王何不見見他呢？」魏王聽後很高興，於是召見宮他，讓他返回燕國。

【出處】

宮他為燕使魏，魏不聽，留之數月。客謂魏王曰：「不聽燕使何也？」曰：「以其亂也。」對曰：「湯之伐桀，欲其亂也。故大亂者可得其地，小亂者可得其寶。今燕客之言曰：『事苟可聽，雖盡寶、地，猶為之也。』王何為不見？」魏王說，因見燕客而遣之。（《戰國策》〈燕一〉）

禪讓之亂

燕王噲曾經問蘇秦的兒子蘇代說：「齊王能稱霸嗎？」蘇代說：「不能。」燕王說：「為什麼呢？」蘇代說：「他不信任自己的大臣。」於是燕王噲更加信任國相子之，把政事都交給他處理。子之送給蘇代百金作為答謝。鹿毛壽進一步慫恿燕王說：「您不如把國家讓給國相

子之。人們稱道堯為賢聖，是因為他把天下讓給許由。然而許由沒有接受，因此堯既有禪讓天下的美名，又沒有失去天下。如果您把國家讓給子之，子之一定不敢接受，而又表明您和堯有同樣的品德。」燕王於是把國家託付給子之。沒想到子之並未拒絕。有人對燕王說：「大禹舉薦伯益，卻任用啟的臣子為官吏。等到大禹年老時，又認為啟不足以擔當治理天下的重任，所以把君位傳給了伯益。不久啟就夥同黨羽攻打伯益，奪回了君位。所以天下人都說大禹名義上是把天下傳給伯益，但又讓啟自己奪了回去。現在大王把國家託付給子之，官吏卻沒有一個不是太子的臣子，這不是名義上把國家託付給子之，實際上還由太子執政嗎？」燕王於是把俸祿三百石以上官吏的印信收起來，交給子之。子之坦然坐在君位上，行使國王的權力；燕王噲年老不再處理政務，反而成為臣子，國家一切政務都由子之裁決。第三年，燕國大亂。將軍市被和太子平謀劃攻打子之。齊國眾將對齊湣王說：「趁這個機會出兵燕國，一定可以把燕國打垮。」齊王於是派人對燕太子平說：「我聽說太子主持正義，將要廢私立公，整頓君臣的倫理，明確父子的地位。我的國家很小，不足以作為您的輔翼。即使這樣，我們也願意聽從太子的差遣。」太子平於是邀集同黨，聚合徒眾，與將軍市被包圍王宮，攻打子之，但是沒有攻克。將軍市被又轉過頭來攻打太子平。結果將軍市被戰死，被陳屍示眾。內亂持續了好幾個月，數萬人因此而死。燕國人都痛恨這場內亂，百姓人心離散。中山國趁火打劫，攻佔了燕國方圓數百里的土地和幾十座城邑。孟軻對齊宣王說：「現在進攻燕國，就如當年文王、武王伐紂，不可失掉時機。」齊國軍隊進入燕國時，燕國士兵不願打仗，連城門都不關。齊國大勝後，燕人共立太子平，是為燕昭王，內亂終於平息。

【出處】

　　燕王噲既立，蘇秦死於齊。蘇秦之在燕也，與其相子之為婚，而蘇代與子之交。及蘇秦死，而齊宣王復用蘇代。燕噲三年，與楚、三晉攻秦，不勝而還。子之相燕，貴重主斷。蘇代為齊使於燕，燕王問之曰：「齊宣王何如？」對曰：「必不霸。」燕王曰：「何也？」對曰：「不信其臣。」蘇代欲以激燕王以厚任子之也。於是燕王大信子之。子之因遺蘇代百金，聽其所使。鹿毛壽謂燕王曰：「不如以國讓子之。人謂堯賢者，以其讓天下於許由，由必不受，有讓天下之名，實不失天下。今王以國讓相子之，子之必不敢受，是王與堯同行也。」燕王因舉國屬子之，子之大重。或曰：「禹授益而以啟為吏，及老，而以啟為不足任天下，傳之益也。啟與支黨攻益而奪之天下，是禹名傳天下於益，其實令啟自取之。今王言屬國子之，而吏無非太子人者，是名屬子之，而太子用事。」王因收印自三百石吏而效之子之。子之南面行王事，而噲老不聽政，顧為臣，國事皆決子之。子之三年，燕國大亂，百姓恫怨。將軍市被、太子平謀，將攻子之。儲子謂齊宣王：「因而仆之，破燕必矣。」王因令人謂太子平曰：「寡人聞太子之義，將廢私而立公，飭君臣之義，正父子之位。寡人之國小，不足先後。雖然，則唯太子所以令之。」太子因數黨聚眾，將軍市被圍公宮，攻子之，不克；將軍市被及百姓乃反攻太子平，將軍市被死已殉，國構難數月，死者數萬眾，燕人恫怨，百姓離意。孟軻謂齊宣王曰：「今伐燕，此文、武之時，不可失也。」王因令章子將五都之兵，以因北地之眾以伐燕。士卒不戰，城門不閉，燕王噲死。齊大勝燕，子之亡。二年，燕人立公子平，是為燕昭王。（《戰國策》〈燕一〉）

蘇秦弱齊

　　蘇代從齊國暗中派人對燕昭王說：「臣下離間齊國、趙國，現在齊、趙兩國都已經孤立了。大王為什麼還不出兵進攻齊國？臣下會讓齊國迅速衰弱。」燕國於是討伐齊國，進攻晉地。蘇代使人對齊閔王說：「燕國進攻齊國，想收復以往的失地。現在燕軍在晉地停滯不前，這是由於兵力弱小猶疑不決。大王為什麼不派蘇代率兵抗擊燕軍呢？憑蘇代的才能，率兵抗擊弱小的燕軍，一定能攻破燕國。燕國被攻破，那麼趙國就不敢不聽命，這樣大王既攻破了燕國，又制服了趙國。」齊閔王說：「好。」於是就對蘇代說：「燕軍打到了晉地，現在寡人要發兵抗擊它，希望您替寡人做軍隊的大將。」蘇代回答說：「臣下不擅長指揮軍隊，哪裡能帶兵打仗？還是改任別人吧。大王派臣下為將，這會使大王的軍隊遭到失敗，也會把臣下交給燕國，打不贏，就不能挽救敗局了。」齊王說：「您去吧，寡人瞭解您。」蘇代於是率領齊軍同燕國人在晉城之下交戰，齊軍大敗，燕軍砍下兩萬齊軍士兵的頭顱。蘇代收攏齊國的殘兵退守陽城，向齊閔王回報說：「大王用錯了人，竟派我來抗擊燕軍。如今軍隊傷亡兩萬人，臣下有殺頭之罪，請讓我自己到執法的官吏那裡領受斬刑。」齊閔王說：「這是寡人的罪過，您沒什麼可以怪罪的。」第二天，蘇代又暗中讓燕國攻打陽城和狸邑。又派人對齊閔王說，「前幾天，齊國軍隊在晉城之下沒能取勝，這不是軍隊的過錯，主要是齊軍不走運而燕軍得到了上天的保佑。現在燕國又攻打陽城和狸邑，這是把上天的保佑當作自己的功勞。大王再派蘇代抗擊燕軍，蘇代先前曾使大王的軍隊失

敗，因此這次他一定竭力用勝利來報答大王。」齊王說：「好。」於是再次任用蘇代，蘇代堅決推辭，齊王不聽。蘇代於是率兵在陽城同燕軍作戰。燕軍大獲全勝，斬獲敵人首級三萬。齊國君臣之間相互猜忌，百姓離心離德。燕國於是派樂毅大舉興兵進攻齊國，最終攻破齊國。

【出處】

蘇代自齊使人謂燕昭王曰：「臣聞離齊、趙，齊、趙已孤矣，王何不出兵以攻齊？臣請王弱之。」燕乃伐齊攻晉。令人謂閔王曰：「燕之攻齊也，欲以復振古地也。燕兵在晉而不進，則是兵弱而計疑也。王何不令蘇子將而應燕乎？夫以蘇子之賢，將而應弱燕，燕破必矣。燕破則趙不敢不聽，是王破燕而服趙也。」閔王曰：「善。」乃謂蘇子曰：「燕兵在晉，今寡人發兵應之，願子為寡人為之將。」對曰：「臣之於兵，何足以當之，王其改舉。王使臣也，是敗王之兵，而以臣遺燕也。戰不勝，不可振也。」王曰：「行，寡人知子矣。」蘇子遂將，而與燕人戰於晉下，齊軍敗，燕得甲首二萬人。蘇子收其餘兵，以守陽城，而報於閔王曰：「王過舉，令臣應燕。今軍敗亡二萬人，臣有斧質之罪，請自歸於吏以戮！」閔王曰：「此寡人之過也，子無以為罪。」明日又使燕攻陽城及貍。又使人謂閔王曰：「日者齊不勝於晉下，此非兵之過，齊不幸而燕有天幸也。今燕又攻陽城及貍，是以天幸自為功也。王復使蘇子應之，蘇子先敗王之兵，其後必務以勝報王矣。」王曰：「善。」乃復使蘇子，蘇子固辭，王不聽。遂將以與燕戰於陽城。燕人大勝，得首三萬。齊君臣不親，百姓離心。燕因使樂毅大起兵伐齊，破之。（《戰國策》〈燕二〉）

獻書燕王

　　蘇代從齊國上書燕昭王說：「我這次到齊國來，早就料到會有人說三道四。所以臨行之前給您上書說：『如果我在齊國地位顯貴，燕國大臣就會不再信任我；如果我的地位卑賤，他們就會瞧不起我；如果我受到重用，他們就會怨恨我；齊國對燕國不友好，他們又會歸罪於我；天下諸侯若不進攻齊國，他們又會說我一心為齊國打算；天下諸侯若是進攻齊國，他們又會和齊國一起拋棄我。我的處境危若累卵。』大王對我說：『我一定不會聽信那些閒言碎語，而是堅定不移信任你。請記住，最主要是在齊國能夠得到重用，其次是在群臣中獲得信任；只要生命無憂，就能幹成你想幹的事，聽憑你的自信去辦吧。』大王又和我說：『到了齊國就好了，只期望事情能夠成功。』自從我受命出使齊國，至今已有五年。其間，齊國多次出兵，但從未圖謀燕國。齊、趙兩國的邦交時好時壞，時分時合。不是燕國聯合齊國圖謀趙國，以離間齊、趙的關係，就是我暗地使燕國幫助趙國圖謀齊國，以促成燕國的計謀。儘管如此齊國依舊信任燕國，以致齊國北部邊境不設防線，用那裡的軍隊去攻打別的國家。近幾年以來大王聽信田伐、繰去疾的話，準備進攻齊國，致使齊國大為戒備而不信任燕國。如今，大王又派盛慶告訴我說：『我要任用合我心意的人在齊國工作。』假使大王真想任用那樣的人，那麼請讓我為大王去輔助他。如果大王真要罷免我而專任所謂合意的人，那麼請讓我回國後解除職務。假如我能夠見到大王，也就心滿意足了。」

【出處】

蘇代自齊獻書於燕王曰：「臣之行也，固知將有口事，故獻御書而行曰：『臣貴於齊，燕大夫將不信臣；臣賤，將輕臣；臣用，將多望於臣；齊有不善，將歸罪於臣；天下不攻齊，將曰善為齊謀；天下攻齊，將與齊兼鄮臣。臣之所重處卯也。』王謂臣曰：『吾必不聽眾口與讒言，吾信汝也，猶剗刈者也。上可以得用於齊，次可以得信於下，苟無死，女無不為也，以女自信可也。』與之言曰：『去燕之齊可也，期於成事而已。』臣受令以任齊，及五年。齊數出兵，未嘗謀燕。齊、趙之交，一合一離，燕王不與齊謀趙，則與趙謀齊。齊之信燕也，至於虛北地行其兵。今王信田伐與參、去疾之言，且攻齊，使齊犬馬駿而不信燕。今王又使慶令臣曰：『吾欲用所善。』王苟欲用之，則臣請為王事之。王欲醳臣剸任所善，則臣請歸醳事。臣苟得見，則盈願。」（《戰國策》〈燕二〉）

鷸蚌相爭

趙國準備討伐燕國，蘇代為燕國去勸說趙惠王說：「我這次來的路上，經過易水，看見一隻河蚌從水裡爬到岸邊曬太陽，一隻鷸飛來啄它的肉，河蚌馬上閉合，夾住了鷸的嘴。鷸說：『今天不下雨，明天不下雨，你就變成肉乾了。』河蚌對鷸說：『今天不放你，明天不放你，你就成了死鷸。』它們倆誰也不肯放開誰。這時，一個漁夫走過來，把它們倆一塊捉住了。現在趙國想攻打燕國，如果燕、趙兩國相持不下，老百姓就會疲憊不堪，我擔心強大的秦國會像那不勞而

獲的漁夫。希望大王認真考慮出兵的事。」趙惠文王說：「你說得有理。」於是停止出兵攻打燕國。

【出處】

趙且伐燕，蘇代為燕謂惠王曰：「今者臣來，過易水，蚌方出曝，而鷸啄其肉，蚌合而拑其喙。鷸曰：『今日不雨，明日不雨，即有死蚌。』蚌亦謂鷸曰：『今日不出，明日不出，即有死鷸。』兩者不肯相舍，漁者得而並禽之。今趙且伐燕，燕、趙久相支，以弊大眾，臣恐強秦之為漁父也。故願王之熟計之也。」惠王曰：「善。」乃止。（《戰國策》〈燕二〉）

辭卑而幣重

齊國和魏國爭相拉攏燕國。齊國對燕王說：「我們已經得到趙國的支持。」魏國也說：「魏國已經得到趙國支持。」燕王無法判斷該與誰結成聯盟。蘇代對燕國的相國說：「我認為言辭卑下而禮品厚重的，就沒有得到天下諸侯的支持；言辭傲慢而禮品微薄的，說明他已得到天下諸侯的支持。現在魏國言辭傲慢而禮品微薄。」燕國於是聯合魏國，又得到趙國的支持，齊國因而被打敗。

【出處】

齊、魏爭燕。齊謂燕王曰：「吾得趙矣。」魏亦謂燕王曰：「吾得趙矣。」燕無以決之，而未有適予也。蘇子謂燕相曰：「臣聞辭卑

而幣重者，失天下者也；辭倨而幣薄者，得天下者也。今魏之辭倨而幣薄。」燕因合於魏，得趙，齊遂北矣。（《戰國策》〈燕二〉）

臣有駿馬

　　蘇代為燕國去遊說齊國。還沒見齊王之前，先對淳于髡說：「有人賣一匹駿馬，接連三天早晨守在市場裡，但沒人看出他的馬是一匹駿馬。賣馬的人很著急，於是去見伯樂說：『我有一匹駿馬想要賣掉，可是一連三天早晨站在市場上，也沒人來問一下。希望先生您能繞著我的馬看一下，離開時回頭再瞅一眼，我願意給您一天的費用。』伯樂於是照著賣馬人的話做了，結果馬的身價一下子就漲了十倍。現在我想以駿馬自薦，去拜見齊王，可是沒人替我前後周旋，先生願意做我的伯樂嗎？請讓我獻上白璧一雙，黃金千鎰，以此作為馬的草料費吧。」淳于髡說：「願意聽從您的吩咐。」於是進宮向齊王引薦，齊王接見蘇代，很喜歡他。

【出處】

　　蘇代為燕說齊，未見齊王，先說淳于髡曰：「人有賣駿馬者，比三旦立於市，人莫知之。往見伯樂曰：『臣有駿馬，欲賣之，比三旦立於市，人莫與言，願子還而視之。去而顧之，臣請獻一朝之賈。』伯樂乃還而視之，去而顧之，一旦而馬價十倍。今臣欲以駿馬見於王，莫為臣先後者，足下有意為臣伯樂乎？臣請獻白璧一雙，黃金千鎰，以為馬食。」淳于髡曰：「謹聞命矣。」入言之王而見之，齊王

大說蘇子。（《戰國策》〈燕二〉）

事非權不立

　　燕王對蘇代說：「寡人很不喜歡騙子的謊言。」蘇代回答說：「周地看不起媒人，因為媒人兩頭說好話。到男家說女方貌美，到女家說男方富有。然而按周地的風俗，男子不自行娶妻。而且，處女如果沒有媒人說媒，到老也嫁不出去。離開媒人自己誇耀自己，磨破了嘴皮也沒人要你。順應風俗就不會壞事，要想出嫁又不費唇舌，只有找媒人了。況且參與政事，離開權術就不能成事，不靠權勢就不能成功。讓人坐享成功的，只有那些騙子啊。」燕王說：「有道理。」

【出處】

　　燕王謂蘇代曰：「寡人甚不喜訑者言也。」蘇代對曰：「周地賤媒，為其兩譽也。之男家曰『女美』，之女家曰『男富』。然而周之俗，不自為取妻。且夫處女無媒，老且不嫁；舍媒而自衒，弊而不售。順而無敗，售而不弊者，唯媒而已矣。且事非權不立，非勢不成。夫使人坐受成事者，唯訑者耳。」王曰：「善矣。」（《戰國策》〈燕一〉）

以地請合

　　燕齊權地之戰時，燕國軍隊因為得不到趙國的援助，兩次出戰都

沒有獲勝。郭任對燕文公說：「不如割讓土地向齊國求和，這樣趙國一定會來援救我們。因為不來援救，齊國獲勝就會變得強大，將來趙國就不得不侍奉齊國。」燕昭王說：「好。」於是派郭任割讓土地以向齊國求和。趙國得知消息，立即發兵援救燕國。

【出處】

權之難，燕再戰不勝，趙弗救。噲子謂文公曰：「不如以地請合於齊，趙必救我。若不吾救，不得不事。」文公曰：「善。」今郭任以地請講於齊。趙聞之，遂出兵救燕。（《戰國策》〈燕一〉）

王無以應

公孫龍勸說燕昭王停止戰爭，燕昭王說：「很好。我願意跟賓客們商議這件事。」公孫龍說：「我猜想大王不會放棄用兵的。」昭王說：「為什麼呢？」公孫龍說：「從前大王想打敗齊國，因此天下所有想打敗齊國的豪傑，所有瞭解齊國險阻要塞和君臣之間關係的人，大王全都收養了他們。那些雖然瞭解這些情況卻不贊同攻打齊國的人，大王卻不肯收養他們。燕國終於打敗齊國，大功告成。如今大王說很願意停止戰爭，但是大王朝廷中的能人志士，卻都是善於用兵的人。我因此推斷大王不會中止戰爭。」昭王無以應答。

【出處】

公孫龍說燕昭王以偃兵，昭王曰：「甚善。寡人願與客計之。」

公孫龍曰：「竊意大王之弗為也。」王曰：「何故？」公孫龍曰：「日者大王欲破齊，諸天下之士其欲破齊者，大王盡養之；知齊之險阻要塞、君臣之際者，大王盡養之；雖知而弗欲破者，大王猶若弗養。其卒果破齊以為功。今大王曰：我甚取偃兵。諸侯之士在大王之本朝者，盡善用兵者也。臣是以知大王之弗為也。」王無以應。（《呂氏春秋》〈審應覽・應言〉）

除患無至，易於救患

　　燕國發生饑荒，趙國準備乘機攻打它。楚國派一名將軍去燕國，途經魏國時見到趙恢。趙恢對楚將說：「防患於未然，比解除禍患容易。伍子胥和宮之奇的勸諫不被君王採納，燭之武和張孟談的謀略卻受君王賞識。謀臣們大多側重於解除禍患之道，而忽略防患於未然。現在與其送您百金，還不如送您幾句話。您如果聽我的話，就去勸說趙王：『過去吳國討伐齊國，是因為齊國鬧饑荒。然而還沒有等伐齊成功，弱小的越國就乘虛而入，打敗吳國而稱霸一方。現在大王要攻打饑荒的燕國，我看未必能勝，並且強秦正伺機而動，準備進攻趙國。這是讓弱趙處於當年強吳的不利地位，而讓強秦處於當年弱越的有利地位啊。希望大王認真思量。』」於是楚國將軍用趙恢的這番話去規勸趙王，趙王聽後很高興，就打消了攻打燕國的念頭。燕昭王聽說這件事，重重獎賞了這位楚國將軍。

燕饑，趙將伐之。楚使將軍之燕，過魏，見趙恢。趙恢曰：「使
除患無至，易於救患。伍子胥、宮之奇不用，燭之武、張孟談受大
賞。是故謀者皆從事於除患之道，而先使除患無至者，今予以百金送
公也，不如以言。公聽吾言而說趙王曰：『昔者吳伐齊，為其饑也，
伐齊未必勝也，而弱越乘其弊以霸。今王之伐燕也，亦為其饑也，伐
之未必勝，而強秦將以兵承王之西，是使弱趙居強吳之處，而使強秦
處弱越之所以霸也。願王之熟計之也。』」使者乃以說趙王，趙王大
悅，乃止。燕昭王聞之，乃封之以地。（《戰國策》〈燕二〉）

千金市骨

　　燕昭王收拾殘破的燕國登上王位後禮賢下士，用豐厚的聘禮招募
賢才。他對郭隗說：「齊國乘人之危，攻破我們燕國。我深知燕國勢
單力薄，難以報仇。如果能夠得到賢士輔佐治理國家，就一定能洗
雪先王的恥辱。先生看到合適的人才，請千萬向我推薦。」郭隗回答
說：「成就帝業的國君以賢者為師，成就王業的國君以賢者為友，成
就霸業的國君以賢者為臣，行將滅亡的國君以賢者為僕役。如果君主
能放下身段侍奉賢者，謙恭地接受教誨，才幹超過自己百倍的人就會
到來；勤勉敬業、虛心求教，才能勝過自己十倍的人就會到來；以平
等的態度對待別人，才能與自己相當的人就會來到；頤指氣使、盛氣
凌人地指揮別人，幹雜活的僕從就會來到。行為粗暴、蠻橫無理，唯
命是從的奴隸就會到來。這就是古代施行王道、招致人才的方法啊。

大王若想廣選國中賢才，就應該親自登門拜訪。天下賢人聽說大王的舉動，一定會主動投奔燕國。」昭王說：「我應當先拜訪誰呢？」郭隗說道：「古時候有一位國君用千金求購千里馬，三年也沒有買到。宮中有個近侍說，讓我去買吧。國君就派他去了。三個月後他終於找到了千里馬，可惜馬已經死了，但是他仍然以五百金買了那匹馬的腦袋，回來向國君覆命。國君大怒說：『我要的是活馬，死馬有什麼用？白白扔掉五百金！』近侍胸有成竹地對君主說：『死馬尚且肯花五百金，何況活馬呢？天下人認定大王真心愛馬，千里馬很快就會到來。』果然不到一年，千里馬就送來三匹。如果大王真的想要網羅人才，就請先從我開始吧。像我這樣的人尚且受到重用，何況更有才幹的人呢？難道還會嫌路途遙遠嗎？」於是昭王為郭隗修築宮室，尊他為師。消息傳開，樂毅從魏國趕來，鄒衍從齊國而來，劇辛從趙國而來。昭王祭奠死者，慰問生者，與百姓同甘共苦。用了二十多年時間，燕國由弱到強。燕昭王二十八年，昭王以樂毅為上將軍，統率秦、楚及趙、魏、韓等國聯合攻打齊國。齊國大敗，齊閔王逃到外地。燕軍單獨追擊敗軍，一直打到齊都臨淄，掠取了齊國的全部寶物，燒毀齊國的宮殿和宗廟。沒有被攻下的齊國城邑，只剩下莒邑和即墨。

【出處】

　　燕昭王收破燕後即位，卑身厚幣，以招賢者，欲將以報仇。故往見郭隗先生曰：「齊因孤國之亂，而襲破燕。孤極知燕小力少，不足以報。然得賢士與共國，以雪先王之恥，孤之願也。敢問以國報仇者奈何？」郭隗先生對曰：「帝者與師處，王者與友處，霸者與臣處，

亡國與役處。詘指而事之，北面而受學，則百己者至。先趨而後息，先問而後嘿，則什己者至。人趨己趨，則若己者至。馮幾據杖，眄視指使，則廝役之人至。若恣睢奮擊，呴籍叱咄，則徒隸之人至矣。此古服道致士之法也。王誠博選國中之賢者，而朝其門下，天下聞王朝其賢臣，天下之士必趨於燕矣。」昭王曰：「寡人將誰朝而可？」郭隗先生曰：「臣聞古之君人，有以千金求千里馬者，三年不能得。涓人言於君曰：『請求之。』君遣之。三月得千里馬，馬已死，買其首五百金，反以報君。君大怒曰：『所求者生馬，安事死馬而捐五百金？』涓人對曰：『死馬且買之五百金，況生馬乎？天下必以王為能市馬，馬今至矣。』於是不能期年，千里之馬至者三。今王誠欲致士，先從隗始；隗且見事，況賢於隗者乎？豈遠千里哉？」於是昭王為隗築宮而師之。樂毅自魏往，鄒衍自齊往，劇辛自趙往，士爭湊燕。燕王弔死問生，與百姓同甘共苦。二十八年，燕國殷富，士卒樂佚輕戰。於是遂以樂毅為上將軍，與秦、楚、三晉合謀以伐齊，齊兵敗，閔王出走於外。燕兵獨追北，入至臨淄，盡取齊寶，燒其宮室宗廟。齊城之不下者，唯獨莒、即墨。（《戰國策》〈燕一〉）

濟上勞軍

　　燕昭王向樂毅請教進攻齊國。樂毅回答說：「齊國有稱霸的歷史，至今仍保留著霸國基業，不可能單獨攻打它。大王若一定要攻打齊國，不如聯合趙國，以及楚、魏兩國一起攻擊它。」於是昭王派樂毅去與趙惠文王結盟，另派使者去聯合楚國、魏國，又讓趙國以攻打

齊國將得的好處去勸說秦國。諸侯各國憎恨齊湣王驕橫暴虐，都同意跟燕國聯合討伐齊國。於是燕昭王舉全國之兵，以樂毅為上將軍統率全軍，趙惠文王把相國大印授予樂毅。樂毅於是統領趙、楚、韓、魏、燕五國軍隊攻打齊國，在濟水以西將齊國軍隊擊潰。此時各路諸侯的軍隊都停止攻擊，撤回本國，只有燕國軍隊在樂毅指揮下單獨追擊敗逃之敵，一直追到齊國都城臨淄。齊湣王逃至莒邑據城固守。齊國各城邑都據城堅守不肯投降。樂毅集中力量攻擊臨淄，拿下臨淄後，把齊國的珍寶財物以及宗廟祭祀的器物全部運回燕國。燕昭王大喜，親自到濟水岸邊慰勞軍隊，把昌國封給樂毅，封號為昌國君。樂毅留在齊國巡行作戰五年，攻下齊國城邑七十多座，都劃為郡縣歸屬燕國。

【出處】

　　於是燕昭王問伐齊之事。樂毅對曰：「齊，霸國之餘業也，地大人眾，未易獨攻也。王必欲伐之，莫如與趙及楚、魏。」於是使樂毅約趙惠文王，別使連楚、魏，令趙啗說秦以伐齊之利。諸侯害齊湣王之驕暴，皆爭合從與燕伐齊。樂毅還報，燕昭王悉起兵，使樂毅為上將軍，趙惠文王以相國印授樂毅。樂毅於是並護趙、楚、韓、魏、燕之兵以伐齊，破之濟西。諸侯兵罷歸，而燕軍樂毅獨追，至於臨菑。齊湣王之敗濟西，亡走，保於莒。樂毅獨留徇齊，齊皆城守。樂毅攻入臨菑，盡取齊寶財物祭器輸之燕。燕昭王大說，親至濟上勞軍，行賞饗士，封樂毅於昌國，號為昌國君。於是燕昭王收齊鹵獲以歸，而使樂毅復以兵平齊城之不下者。（《史記》〈樂毅列傳〉）

反間於燕

　　昌國君樂毅為燕昭王率五國軍隊攻打齊國，攻下七十多座城邑，並把這些地方全部作為郡縣劃歸燕國。只剩三座城沒有攻下，燕昭王就死了。太子樂資即位，稱燕惠王。燕惠王做太子時就對樂毅有所不滿。他即位後，齊國田單瞭解到他與樂毅有矛盾，就對燕國施行反間計，讓人造謠說：「齊國城邑沒有攻下的，只剩兩個而已。不及早拿下來，聽說是因為樂毅與燕國新即位的國君有怨仇，樂毅斷斷續續用兵，故意拖延時間留在齊國，準備在齊國稱王。齊國所擔憂的，只是以別的將領來換樂毅。」燕惠王本來就懷疑樂毅，又受到齊國反間計的挑撥，於是派騎劫代替樂毅，將樂毅召回。樂毅明白燕惠王不懷好意，害怕回國後被殺，便轉投趙國。趙國把觀津封給樂毅，封號為望諸君。趙國對樂毅十分尊重優寵，借此震懾燕國、齊國。齊國田單與騎劫交戰，設置騙局用計謀迷惑燕軍，結果在即墨城下把騎劫的軍隊打得大敗，戰局徹底反轉。齊軍調轉矛頭追逐燕軍，向北直追到黃河邊上，收復了齊國的全部城邑，將齊襄王（太子法章）從莒邑迎回都城臨淄。

【出處】

　　樂毅留徇齊五歲，下齊七十餘城，皆為郡縣以屬燕，唯獨莒、即墨未服。會燕昭王死，子立為燕惠王。惠王自為太子時嘗不快於樂毅，及即位，齊之田單聞之，乃縱反間於燕，曰：「齊城不下者兩城耳。然所以不早拔者，聞樂毅與燕新王有隙，欲連兵且留齊，南面而

王齊。齊之所患，唯恐他將之來。」於是燕惠王固已疑樂毅，得齊反間，乃使騎劫代將，而召樂毅。樂毅知燕惠王之不善代之，畏誅，遂西降趙。趙封樂毅於觀津，號曰望諸君。尊寵樂毅以警動於燕、齊。齊田單後與騎劫戰，果設詐誑燕軍，遂破騎劫於即墨下，而轉戰逐燕，北至河上，盡復得齊城，而迎襄王於莒，入於臨菑。（《史記》〈樂毅列傳〉）

將欲毀之，必重累之

齊國攻打宋國，燕王派張魁率燕軍援助齊國，齊王卻殺死了張魁。燕王得知消息，熱淚滾滾而下，召集軍事官員說：「我派張魁支援齊國，齊國卻殺死他。請你立刻安排攻打齊國。」官員接受命令準備出兵，凡繇入宮勸諫燕王說：「以前我認為您是賢明的君主，現在看來不是那麼回事。所以我請求辭官不再做您的臣子。」燕王說：「為什麼呢？」凡繇回答說：「松下之難，導致先君被俘。您心下痛苦，卻要去侍奉齊國，是因為燕國實力不足啊。如今張魁被殺，您要發兵攻齊，這是把張魁看得比先君還重啊。」燕王說：「好吧。那依你看該怎麼辦呢？」凡繇回答說：「請您穿上喪服，離開宮室住到郊外，而後派使臣到齊國，以客人的身分去謝罪說：『這都是我的罪過。大王是賢德的君主，哪裡會殺害諸侯的使臣呢？燕國的使臣被殺，都是因為我選人不慎啊。希望能讓我另換使臣以示誠意。』」燕國的使臣到了齊國，齊王正在舉行盛大宴會，參加宴會的近臣、官員、侍從很多，於是讓使臣前來稟告。使臣稟告說，燕王非常恐懼，

因而前來謝罪。使臣說完，齊王又讓他重複一遍，以示炫耀。然後派遣地位低下的使臣前往燕國，讓燕王返回宮中居住。這就是後來齊國在濟水被燕國打敗的原因。齊國由此衰敗，七十餘座城邑被攻陷。如果沒有田單，幾乎不能收復。齊湣王擁有強大的齊國，卻因為驕橫而使國家殘破；而田單則憑藉即墨立下大功。古詩中說：「要想毀掉它，必先堆砌它；要想摔壞它，必先高舉它。」也許就是這個意思吧！堆砌而不毀壞，高舉而不摔壞，也許只有有道之人能夠做到吧！

【出處】

　　齊攻宋，燕王使張魁將燕兵以從焉，齊王殺之。燕王聞之，泣數行而下，召有司而告之曰：「余興事而齊殺我使，請令舉兵以攻齊也。」使受命矣。凡繇進見，爭之曰：「賢王故願為臣。今王非賢主也，願辭不為臣。」昭王曰：「是何也？」對曰：「松下亂，先君以不安棄群臣也。王苦痛之，而事齊者，力不足也。今魁死而王攻齊，是視魁而賢於先君。」王曰：「諾。」請王止兵，王曰：「然則若何？」凡繇對曰：「請王縞素辟舍於郊，遣使於齊，客而謝焉，曰：『此盡寡人之罪也。大王賢主也，豈盡殺諸侯之使者哉？然而燕之使者獨死，此弊邑之擇人不謹也。願得變更請罪。』」使者行至齊，齊王方大飲，左右官實御者甚眾，因令使者進報。使者報，言燕王之甚恐懼而請罪也。畢，又復之，以矜左右官實。因乃發小使以反令燕王復舍。此濟上之所以敗，齊國以虛也。七十城，微田單，固幾不反。湣王以大齊驕而殘，田單以即墨城而立功。詩曰：「將欲毀之，必重累之；將欲踣之，必高舉之。」其此之謂乎！累矣而不毀，舉矣而不踣，其唯有道者乎！（《呂氏春秋》〈恃君覽‧行論〉）

忠臣去國，不絜其名

　　燕惠王以騎劫取代樂毅為將後，齊軍反敗為勝，收復了全部失地。惠王深感後悔，又害怕趙國會任用樂毅趁燕國疲憊時攻打燕國。於是派人責備樂毅，又向樂毅表示歉意說：「先王把整個燕國託付給將軍，將軍不負重託，為燕國打敗齊國，替先王報仇，天下人無不為之震動，我怎麼敢忘記將軍的功勞呢！先王不幸離世，我又剛剛即位，結果被左右侍臣矇蔽。寡人所以讓騎劫代替將軍，是因為將軍長期在外奔波辛勞，想召請將軍回來，暫且休整一下，以便共議國家大事。將軍卻誤解我，認為和我有隔閡，丟下燕國歸附趙國。如果將軍為自己這樣打算還可以，可您又拿什麼來報答先王對將軍的知遇之恩呢？」樂毅送信給惠王，在信中說：「我聽說，善於開創的不一定善於完成，有好的開端未必有好的結局。從前伍子胥的計謀被吳王闔閭採用，所以吳王的足跡能踐踏楚國郢都。吳王夫差對伍子胥的意見不以為然，結果伍子胥被裝入口袋，投入江中。夫差不明白賢人的主張對吳國建立功業的重要性，所以把伍子胥沉入江中也不後悔。伍子胥未能預見不同君主的度量不同，所以被投入大江也不肯改變誠摯的初衷。能免遭殺戮，保全功名，以彰明先王的業績，這是我的上策。自身遭受詆毀侮辱，因而毀壞先王的名聲，這是我最害怕的事情。」燕惠王聽從智臣的勸告，把樂毅的兒子樂間封為昌國君。於是樂毅往來於趙國、燕國之間，與燕國重新交好，燕、趙兩國都任用他為客卿。

【出處】

　　燕惠王後悔使騎劫代樂毅，以故破軍亡將失齊；又怨樂毅之降

趙，恐趙用樂毅而乘燕之弊以伐燕。燕惠王乃使人讓樂毅，且謝之曰：「先王舉國而委將軍，將軍為燕破齊，報先王之仇，天下莫不震動，寡人豈敢一日而忘將軍之功哉！會先王棄群臣，寡人新即位，左右誤寡人。寡人之使騎劫代將軍，為將軍久暴露於外，故召將軍且休，計事。將軍過聽，以與寡人有隙，遂捐燕歸趙。將軍自為計則可矣，而亦何以報先王之所以遇將軍之意乎？」樂毅報遺燕惠王書曰：臣不佞，不能奉承王命，以順左右之心，恐傷先王之明，有害足下之義，故遁逃走趙。今足下使人數之以罪，臣恐侍御者不察先王之所以畜幸臣之理，又不白臣之所以事先王之心，故敢以書對。臣聞賢聖之君不以祿私親，其功多者賞之，其能當者處之。故察能而授官者，成功之君也；論行而結交者，立名之士也。臣竊觀先王之舉也，見有高世主之心，故假節於魏，以身得察於燕。先王過舉，廁之賓客之中，立之群臣之上，不謀父兄，以為亞卿。臣竊不自知，自以為奉令承教，可幸無罪，故受令而不辭。先王命之曰：「我有積怨深怒於齊，不量輕弱，而欲以齊為事。」臣曰：「夫齊，霸國之餘業而最勝之遺事也。練於兵甲，習於戰攻。王若欲伐之，必與天下圖之。與天下圖之，莫若結於趙。且又淮北、宋地，楚魏之所欲也，趙若許而約四國攻之，齊可大破也。」先王以為然，具符節南使臣於趙。顧反命，起兵擊齊。以天之道，先王之靈，河北之地隨先王而舉之濟上。濟上之軍受命擊齊，大敗齊人。輕卒銳兵，長驅至國。齊王遁而走莒，僅以身免；珠玉財寶車甲珍器盡收入於燕。齊器設於寧臺，大呂陳於元英，故鼎反乎磨室，薊丘之植植於汶篁，自五伯已來，功未有及先王者也。先王以為慊於志，故裂地而封之，使得比小國諸侯。臣竊不自知，自以為奉命承教，可幸無罪，是以受命不辭。臣聞賢聖之君，功

立而不廢，故著於春秋；蚤知之士，名成而不毀，故稱於後世。若先王之報怨雪恥，夷萬乘之強國，收八百歲之蓄積，及至棄群臣之日，餘教未衰，執政任事之臣，修法令，慎庶孽，施及乎萌隸，皆可以教後世。臣聞之，善作者不必善成，善始者不必善終。昔伍子胥說聽於闔閭，而吳王遠跡至郢；夫差弗是也，賜之鴟夷而浮之江。吳王不寤先論之可以立功，故沈子胥而不悔；子胥不蚤見主之不同量，是以致於入江而不化。夫免身立功，以明先王之跡，臣之上計也。離毀辱之誹謗，墮先王之名，臣之所大恐也。臨不測之罪，以幸為利，義之所不敢出也。臣聞古之君子，交絕不出惡聲；忠臣去國，不絜其名。臣雖不佞，數奉教於君子矣。恐侍御者之親左右之說，不察疏遠之行，故敢獻書以聞，唯君王之留意焉。於是燕王復以樂毅子樂間為昌國君；而樂毅往來復通燕，燕、趙以為客卿。樂毅卒於趙。（《史記》〈樂毅列傳〉）

六月飛霜

　　戰國時，齊國臨淄有個很有學問的人名叫鄒衍。燕昭王為報齊國殺父之仇，廣納四方賢士，鄒衍便從齊國來到燕國求見燕昭王。燕昭王早聞鄒衍之名，便拜他為客卿。隨即，燕昭王又接納了趙國人樂毅、劇辛等，都封為客卿。一時之間，燕昭王手下人才濟濟，文人武將各司其職。燕昭王聽從鄒衍的富國強兵之策，經過數年的休養生息，終於使國力逐漸強盛。於是，燕昭王派樂毅為大將，聯合趙、韓、魏、楚四國的友軍，殺奔齊國。樂毅大軍一路勢如破竹，不到半

年，就攻破了齊國都城在內的七十餘城，只有莒和即墨兩城未破。樂毅認為兩城都是彈丸之地，早晚可以攻破，想結以恩義，讓他們自動投降。這時，燕國的另一個將領騎劫因覬覦燕國的兵權、妒忌樂毅而向燕太子樂資進讒，說樂毅不攻下莒和即墨，是為了使齊國民心歸附於他，以在適當的時候自立為齊王。樂資把這些話告訴燕昭王，燕昭王大怒說：「我先王之仇，依仗樂毅得報。憑他的功勞，就是做齊王，又有什麼不可以呢？」說完，他餘怒未息，下令將樂資打二十大板，並馬上派人到臨淄，拜樂毅為齊王。樂毅十分感動，但堅決不接受齊王的封號。不久，燕昭王病死，太子樂資繼位，是為燕惠王。燕惠王想起因樂毅而挨打的往事，立即派騎劫去替代樂毅為將。鄒衍知道後，極力勸諫惠王，說如果以騎劫代替樂毅，不但將前功盡棄，而且將給燕國帶來危害。燕惠王當時寵信騎劫，便召騎劫商議。騎劫說：「鄒衍原本是齊國人，他當然不願齊國被燕國所滅。再說他和樂毅同是客卿，說不定兩人早有密約，一旦樂毅做了齊王，他就可做齊的相國了。」燕惠王大怒，立即下令將鄒衍打入大牢。鄒衍想到自己忠心耿耿為燕國效力，最後竟落得如此下場，不禁仰天大哭。這時正值六月盛夏，天上忽然下起了重霜，好像老天也在為他的蒙冤而痛感不平。

【出處】

鄒衍無罪，見拘於燕，當夏五月，仰天而嘆，天為隕霜。（《論衡》〈感虛篇〉）

鄒衍盡忠於燕惠王，惠王信譖而繫之。鄒子仰天而哭，正夏而天

為之降霜。(《文選》〈詣建平王上書〉)

龐煖易與

劇辛曾經在趙國生活，和龐煖很要好，後來逃奔燕國。燕王看到趙國屢次被秦兵圍困，而且廉頗也離開趙國，而讓龐煖領兵作戰，就想趁趙國疲憊時去攻打它。燕王詢問劇辛，劇辛說：「龐煖很容易對付。」燕王就讓劇辛領兵攻打趙國，趙國以龐煖迎戰，俘獲燕軍兩萬人，殺死劇辛。

【出處】

劇辛故居趙，與龐煖善，已而亡走燕。燕見趙數困於秦，而廉頗去，令龐煖將也，欲因趙弊攻之。問劇辛，辛曰：「龐煖易與耳。」燕使劇辛將擊趙，趙使龐煖擊之，取燕軍二萬，殺劇辛。(《史記》〈燕召公世家〉)

四戰之國

燕王喜聽從宰相栗腹的建議，準備攻打趙國，並就此事去徵詢昌國君樂間的意見。樂間說：「趙國是同四方交戰的國家，它的百姓熟悉軍事，不應該輕易攻打它。」燕王喜不聽，還是去攻打趙國。趙國以廉頗為主帥率兵還擊燕軍，在鄗地大敗燕軍，擒獲了栗腹和樂乘。樂乘與樂間同祖。於是樂間也逃奔趙國。趙國反攻燕國，燕國割讓了

很多土地以向趙國求和，趙軍才撤離回國。燕王悔恨沒有聽用樂間的建議，就給樂間寫信說：「殷紂王時，箕子不受重用，但他敢於冒犯君王，直言諫諍，毫不懈怠，希望紂王聽信；商容因勸諫紂王而被貶謫，身受侮辱，仍希望紂王改弦更張。等到民心渙散，獄中的囚犯紛紛逃出，國家已不可救藥，兩位先生才辭官隱居。紂王為此背上殘暴的惡名，兩位先生卻不失忠聖的美譽。這是為什麼呢？因為他們盡了為臣應盡的責任。如今我雖然愚鈍，但還不至於像殷紂那樣殘暴；燕國雖亂，但百姓還不至於像殷商時代生活在水深火熱之中。俗話說，家庭內部鬧矛盾，不充分發表意見，卻要去投訴鄰里。這種做法，我認為是不可取的。」樂間、樂乘怨恨燕王不聽從他們的計策，不肯離開趙國。趙國封樂乘為武襄君。

【出處】

樂間居燕三十餘年，燕王喜用其相栗腹之計，欲攻趙，而問昌國君樂間。樂間曰：「趙，四戰之國也，其民習兵，伐之不可。」燕王不聽，遂伐趙。趙使廉頗擊之，大破栗腹之軍於鄗，禽栗腹、樂乘。樂乘者，樂間之宗也。於是樂間奔趙，趙遂圍燕。燕重割地以與趙和，趙乃解而去。燕王恨不用樂間，樂間既在趙，乃遺樂間書曰：「紂之時，箕子不用，犯諫不怠，以冀其聽；商容不達，身祇辱焉，以冀其變。及民志不入，獄囚自出，然後二子退隱。故紂負桀暴之累，二子不失忠聖之名。何者？其憂患之盡矣。今寡人雖愚，不若紂之暴也；燕民雖亂，不若殷民之甚也。室有語，不相盡，以告鄰里。二者，寡人不為君取也。」樂間、樂乘怨燕不聽其計，二人卒留趙。趙封樂乘為武襄君。（《史記》〈樂毅列傳〉）

將渠處和

　　燕王喜四年，秦昭王去世。燕王派國相栗腹和趙國訂立友好盟約，送上五百鎰黃金給趙王祝壽。栗腹回國後報告燕王說：「趙國年輕力壯的人都戰死在長平，他們的孩子還小，可以進攻趙國。」燕王徵詢昌國君樂間的意見，樂間回答說：「趙國是個四面受敵、經常抗戰的國家，他的百姓熟悉軍事，不可貿然進攻。」燕王說：「我們以五個打他們一個呢。」樂間搖頭說：「不可以。」燕王很生氣，不聽樂間的意見，最終派出兩路軍隊，兵車兩千輛，栗腹率領一路攻打鄗地，卿秦統領一路攻打代地。群臣大多站在燕王一邊，只有大夫將渠支持樂間說：「剛剛和人家互通關卡，制訂盟約，拿出五百鎰黃金祝酒，才回頭又要進攻人家。這不吉祥，作戰不會成功。」燕王不聽，自己率領偏軍隨後策應。將渠拉著燕王的腰帶阻止他說：「大王一定不要親自前往，伐趙是不會成功的！」燕王用腳踹開將渠，將渠哭著說：「我不是為自己，是為大王著想啊！」燕軍到達宋子，趙國以廉頗為主帥迎敵，在鄗地打敗栗腹。樂乘也在代地戰勝卿秦。樂間逃奔趙國。廉頗追趕燕軍五百多里，包圍了燕國的都城。燕國人請求議和，趙國不允，一定要讓將渠出面主持才准議和。燕王於是任命將渠為國相主持議和。趙國聽從將渠的調處，解除了對燕國的包圍。

【出處】

　　今王喜四年，秦昭王卒。燕王命相栗腹約歡趙，以五百金為趙王酒。還報燕王曰：「趙王壯者皆死長平，其孤未壯，可伐也。」王

召昌國君樂間問之。對曰：「趙四戰之國，其民習兵，不可伐。」王曰：「吾以五而伐一。」對曰：「不可。」燕王怒，群臣皆以為可。卒起二軍，車二千乘，栗腹將而攻鄗，卿秦攻代。唯獨大夫將渠謂燕王曰：「與人通關約交，以五百金飲人之王，使者報而反攻之，不祥，兵無成功。」燕王不聽，自將偏軍隨之。將渠引燕王綬止之曰：「王必無自往，往無成功。」王蹵之以足。將渠泣曰：「臣非以自為，為王也！」燕軍至宋子，趙使廉頗將，擊破栗腹於鄗。破卿秦於代。樂間奔趙。廉頗逐之五百餘裡，圍其國。燕人請和，趙人不許，必令將渠處和。燕相將渠以處和。趙聽將渠，解燕圍。（《史記》〈燕召公世家〉）

秦王救援燕

　　秦國兼併趙國後，又讓趙軍向北迎擊燕國軍隊。燕王聽說後，派人去祝賀秦王。使者經過趙國，趙王拘捕了他。使者說：「秦、趙合一，使天下諸侯折服，燕國所以聽從趙國的命令，是因為趙國有秦國支持。現在臣下出使秦國而被趙國拘留，這就是說秦、趙兩國有了隔閡。秦、趙兩國有了隔閡，天下諸侯一定不會再屈服，而燕國也絕不會再聽從趙國的命令。再說臣下出使秦國，對趙國進攻燕國也沒什麼妨害。」趙王認為說得對，就放了他。使者見到秦王說：「燕王私下聽說秦國兼併了趙國，燕王就派使者前來，送上千金以示祝賀。」秦王說：「燕王無道，我派趙國攻取燕國，您還道什麼賀呀？」使者說：「臣下聽說趙國獨立的時候，南面有秦國為鄰，北面攻下曲陽與

秦王救援燕

燕國為鄰，趙國方圓三百里，同秦國相持五十多年，沒能反過來戰勝秦國，是因為國土狹小沒什麼出產。現在大王讓趙國向北兼併燕國，燕、趙兩國同心協力，一定不會再聽命於秦國了。臣私下替大王憂慮。」秦王覺得有理，就發兵援救燕國。

【出處】

　　秦並趙，北向迎燕。燕王聞之，使人賀秦王。使者過趙，趙王繫之。使者曰：「秦、趙為一，而天下服矣。茲之所以受命於趙者，為秦也。今臣使秦，而趙繫之，是秦、趙有隙。秦、趙有隙，天下必不服，而燕不受命矣。且臣之使秦，無妨於趙之伐燕也。」趙王以為然而遣之。使者見秦王曰：「燕王竊聞秦並趙，燕王使使者賀千金。」秦王曰：「夫燕無道，吾使趙有之，子何賀？」使者曰：「臣聞全趙之時，南鄰為秦，北下曲陽為燕，趙廣三百里，而與秦相距五十餘年矣，所以不能反勝秦者，國小而地無所取。今王使趙北並燕，燕、趙同力，必不復受於秦矣。臣切為王患之。」秦王以為然，起兵而救燕。（《戰國策》〈燕三〉）

田光自剄

　　燕太子丹在秦國做人質，後來逃回燕國。眼見秦軍逼近易水，太子丹唯恐災禍來臨，心裡十分憂慮，於是對太傅鞠武說：「燕、秦勢不兩立，希望太傅幫忙想辦法才好。」太傅說：「請讓我到西邊去聯合三晉，到南邊去聯合齊楚，到北邊去和匈奴講和，然後就可以對

付秦國了。」太子丹說：「太傅的計劃曠日持久，我心裡憂慮至極，一刻也不能等待。太傅還是另想辦法吧。」於是鞠武向太子丹推薦田光。田光說：「好馬年輕時可以日行千里，到它衰老力竭的時候，連劣馬也能超過它。我已經老了，我的朋友荊軻可以擔當使命。」太子說：「希望能通過先生與荊軻結識，可以嗎？」田光說：「好的。」太子丹把田光送到門口，告誡說：「剛才說的都是國家大事，希望先生不要洩露。」田光低頭一笑說：「好的。」田光去見荊軻說：「我把您舉薦給太子，希望能到太子住處走一趟。」荊軻說：「遵命。」田光又說：「我聽說忠義之士不被人懷疑，可太子卻告誡我說：『我們所講的都是國家大事，希望先生不要洩露出去。』太子是不放心我啊。為人做事讓人有所懷疑，就不是有氣節的俠客。希望您馬上去拜見太子，就說我已經死了，沒有把國家大事洩露出去。」說完就自刎而死。

【出處】

　　燕太子丹質於秦，亡歸。見秦且滅六國，兵以臨易水，恐其禍至。太子丹患之，謂其太傅鞠武曰：「燕、秦不兩立，願太傅幸而圖之。」武對曰：「秦地遍天下，威脅韓、魏、趙氏，則易水以北，未有所定也。奈何以見陵之怨，欲排其逆鱗哉？」太子曰：「然則何由？」太傅曰：「請入，圖之。」居之有間，樊將軍亡秦之燕，太子容之。太傅鞠武諫曰：「不可。夫秦王之暴，而積怨於燕，足為寒心，又況聞樊將軍之在乎！是以委肉當餓虎之蹊，禍必不振矣！雖有管、晏，不能為謀。願太子急遣樊將軍入匈奴以滅口。請西約三晉，南連齊、楚，北講於單于，然後乃可圖也。」太子丹曰：「太傅之

計，曠日彌久，心惽然，恐不能須臾。且非獨於此也。夫樊將軍困窮於天下，歸身於丹，丹終不迫於強秦，而棄所哀憐之交置之匈奴，是丹命固卒之時也。願太傅更慮之。」鞠武曰：「燕有田光先生者，其智深，其勇沉，可與之謀也。」太子曰：「願因太傅交於田先生，可乎？」鞠武曰：「敬諾。」出見田光，道太子曰：「願圖國事於先生。」田光曰：「敬奉教。」乃造焉。太子跪而逢迎，卻行為道，跪地拂席。田先生坐定，左右無人，太子避席而請曰：「燕、秦不兩立，願先生留意也。」田光曰：「臣聞騏驥盛壯之時，一日而馳千里。至其衰也，駑馬先之。今太子聞光壯盛之時，不知吾精已消亡矣。雖然，光不敢以乏國事也。所善荊軻，可使也。」太子曰：「願因先生得願交於荊軻，可乎？」田光曰：「敬諾。」即起，趨出。太子送之至門，曰：「丹所報，先生所言者，國大事也，願先生勿洩也。」田光俯而笑曰：「諾。」僂行見荊軻，曰：「光與子相善，燕國莫不知。今太子聞光壯盛之時，不知吾形已不逮也，幸而教之曰：『燕、秦不兩立，願先生留意也。』光竊不自外，言足下於太子，願足下過太子於宮。」荊軻曰：「謹奉教。」田光曰：「光聞長者之行，不使人疑之，今太子約光曰：『所言者，國之大事也，願先生勿洩也。』是太子疑光也。夫為行使人疑之，非節俠士也。」欲自殺以激荊軻，曰：「願足下急過太子，言光已死，明不言也。」遂自剄而死。（《戰國策》〈燕三〉）

切齒拊心

　　太子丹對荊軻說：「我私下希望能得到天下最勇敢的人出使秦

國，如果能劫持秦王，讓他歸還侵佔的全部諸侯土地，就像當年曹沫劫持齊桓公那樣就好了。如果秦王不答應，那就殺死他。秦國的大將在國外征戰，而國內又大亂起來，那麼君臣必定相互猜疑。趁這個機會諸侯聯合起來，就能擊破秦國。這是我的最高願望。」荊軻說：「這是國家大事，我才能低下，恐怕不能勝任。」太子再三請求，荊軻這才答應。於是太子尊荊軻為上卿，讓他住上等賓館，盡量滿足他的欲望。不久秦將王翦攻破趙都，俘虜趙王。大軍繼續向北挺進，直達燕國南部邊界。太子丹十分焦急，請求荊軻說：「秦國軍隊眼見就要橫渡易水，那時我想長久侍奉您，也不可能了！」荊軻說：「現在到秦國去，缺乏有分量的禮物，秦王就不可能接近。秦王懸賞黃金千斤、封邑萬戶求購樊於期的腦袋，如果獻上樊將軍的腦袋和燕國督亢地圖，秦王一定會接見我，這樣我才有機會報效您。」太子說：「樊將軍到了窮途末路才來投奔我，我不忍心為了私利而傷害長者的心，您再考慮別的辦法吧！」荊軻見太子不忍心，於是私下會見樊於期說：「秦國對待將軍殘酷至極，殺害您全家，又以重金求購將軍首級，您打算怎麼辦呢？」樊於期流淚說：「雖然恨之入骨，卻也想不出辦法。」荊軻說：「有個辦法既可解除燕國禍患，又可洗雪將軍仇恨。」樊於期忙問：「什麼辦法？」荊軻說：「如果以將軍首級獻給秦王，秦王一定會召見我，我就可以用匕首刺入他的胸膛，將軍以為如何呢？」樊於期走近荊軻說：「這是我日夜切齒碎心的仇恨，今天才聽到您的教誨！」於是拔劍自刎。太子得知消息，駕車奔馳前往，趴在屍體上痛哭，極其悲哀。然而已經無法挽回，於是就把樊於期的首級裝到匣子裡密封起來。

【出處】

　　太子避席頓首曰：「田先生不知丹不肖，使得至前，願有所道，此天所以哀燕不棄其孤也。今秦有貪饕之心，而欲不可足也，非盡天下之地，臣海內之王者，其意不饜。今秦已虜韓王，盡納其地，又舉兵南伐楚，北臨趙。王翦將數十萬之眾臨漳、鄴，而李信出太原、云中。趙不能支秦，必入臣。入臣，則禍至燕。燕小弱，數困於兵，今計舉國不足以當秦。諸侯服秦，莫敢合從。丹之私計，愚以為誠得天下之勇士，使於秦，窺以重利，秦王貪其贄，必得所願矣。誠得劫秦王，使悉反諸侯之侵地，若曹沬之與齊桓公，則大善矣；則不可，因而刺殺之。彼大將擅兵於外，而內有大亂，則君臣相疑。以其間諸侯，諸侯得合從，其償破秦必矣。此丹之上願，而不知所以委命，惟荊卿留意焉。」久之，荊軻曰：「此國之大事，臣駑下，恐不足任使。」太子前頓首，固請無讓。然後許諾。於是尊荊軻為上卿，舍上舍，太子日日造問，供太牢異物，間進車騎美女，恣荊軻所欲，以順適其意。久之，荊軻未有行意。秦將王翦破趙，虜趙王，盡收其地，進兵北略地，至燕南界。太子丹恐懼，乃請荊卿曰：「秦兵旦暮渡易水，則雖欲長侍足下，豈可得哉？」荊卿曰：「微太子言，臣願得謁之。今行而無信，則秦未可親也。夫今樊將軍，秦王購之金千斤，邑萬家。誠能得樊將軍首，與燕督亢之地圖獻秦王，秦王必說見臣，臣乃得有以報太子。」太子曰：「樊將軍以窮困來歸丹，丹不忍以己之私，而傷長者之意，願足下更慮之。」荊軻知太子不忍，乃遂私見樊於期曰：「秦之遇將軍，可謂深矣。父母宗族，皆為戮沒。今聞購將軍之首，金千斤，邑萬家，將奈何？」樊將軍仰天太息流涕曰：「吾

每念，常痛於骨髓，顧計不知所出耳。」軻曰：「今有一言，可以解燕國之患，而報將軍之仇者，何如？」樊於期乃前曰：「為之奈何？」荊軻曰：「願得將軍之首以獻秦，秦王必喜而善見臣，臣左手把其袖，而右手揕抗其胸，然則將軍之仇報，而燕國見陵之恥除矣。將軍豈有意乎？」樊於期偏袒扼腕而進曰：「此臣日夜切齒拊心也，乃今得聞教。」遂自刎。太子聞之，馳往，伏屍而哭，極哀。既已，無可奈何，乃遂收盛樊於期之首，函封之。（《戰國策》〈燕三〉）

圖窮匕見

太子丹花費百金從趙國徐夫人那裡買到天下最為鋒利的匕首，讓工匠用毒水淬它，用人試驗，只要沾一絲絲血，沒有不死的。於是讓荊軻準備出發。荊軻等待同行的助手，那人住得很遠，一時難以趕到。太子丹以為他反悔，故意拖延時間，就推薦勇士秦舞陽隨行。秦舞陽十三歲開始殺人，一般人不敢正眼看他。荊軻發怒，斥責太子丹說：「太子這樣催促是什麼意思？只顧前往而不顧完成使命，那有什麼意義？我所以暫留，是在等待另一位朋友。既然太子認為我在拖延時間，那就告辭訣別吧！」於是匆匆出發了。太子丹及知道內情的賓客送荊軻到易水岸邊，高漸離擊筑，荊軻和著拍節唱歌，發出蒼涼淒婉的聲調：「風蕭蕭兮易水寒，壯士一去兮不復還！」荊軻一到秦國，以價值千金的禮物，厚贈秦王寵臣蒙嘉。蒙嘉替荊軻先在秦王面前說：「燕王被大王的威嚴震懾，情願率全國百姓臣服秦國。因為慌恐畏懼不敢親自前來陳述，謹此砍下樊於期的首級並獻上燕國督亢地

區的地圖。燕王還在朝廷上舉行了拜送儀式，派出使臣前來稟明大王，請大王指示。」秦王非常高興，就穿上禮服，在咸陽宮召見燕國使者。荊軻捧著樊於期的首級，秦舞陽捧著地圖匣子，按照正、副使的次序前進，走到殿前階下，秦舞陽臉色突變，害怕得發抖，大臣們都感到奇怪。荊軻回頭朝秦舞陽笑笑，上前謝罪說：「北方藩屬蠻夷之地的粗野人，沒有見過天子，所以心驚膽顫。希望大王稍微寬容他，讓他能夠在大王面前完成使命。」秦王對荊軻說：「遞上地圖。」荊軻取過地圖獻上，秦王展開地圖看，將到盡頭時，匕首露了出來。荊軻趁機左手抓住秦王的衣袖，右手拿起匕首直刺。秦王大驚，自己抽身跳起，掙斷衣袖，慌忙抽劍，一時驚慌不能立刻拔出。荊軻追趕秦王，秦王繞柱奔跑，大臣們都驚呆了，一時手足無措。按秦國的法律，殿上侍從大臣不允許攜帶兵器，侍衛武官只能拿著武器守衛殿外，沒有皇帝的命令不准進殿。侍從醫官夏無且用他所捧的藥袋投擊荊軻，侍從們高喊說：「大王，把劍推到背後！」秦王把劍推到背後，這才拔出劍來，揮劍砍斷了荊軻的左腿。荊軻舉起匕首直接投刺秦王，沒有擊中。秦王接連攻擊荊軻，荊軻自知大事不能成功了，就倚在柱子上大笑，張開兩腿像簸箕一樣坐在地上罵道：「大事之所以沒能成功，是因為我想活捉你，迫使你訂立歸還諸侯土地的契約以回報太子。」侍衛們衝上前來殺死荊軻。秦王賜給夏無且黃金二百鎰，說：「無且愛我，才用藥袋投擊荊軻啊。」

【出處】

於是，太子豫求天下之利匕首，得趙人徐夫人之匕首，取之百金，使工以藥淬之，以試人，血濡縷，人無不立死者。乃為裝遣荊

卿。燕國有勇士秦舞陽，年十三，殺人，人不敢與忤視。乃令秦舞陽為副。荊軻有所待，欲與俱，其人居遠未來，而為留待。頃之未發。太子遲之，疑其有改悔，乃復請之曰：「日以盡矣，荊卿豈無意哉？丹請先遣秦舞陽。」荊軻怒，叱太子曰：「今日往而不反者，豎子也！今提一匕首入不測之強秦，僕所以留者，待吾客與俱。今太子遲之，請辭決矣。」遂發。太子及賓客知其事者，皆白衣冠以送之。至易水上，既祖，取道。高漸離擊筑，荊軻和而歌，為變徵之聲，士皆垂淚涕泣。又前而為歌曰：「風蕭蕭兮易水寒，壯士一去兮不復還。」復為慷慨羽聲，士皆瞋目，髮盡上指冠。於是荊軻遂就車而去，終已不顧。既至秦，持千金之資幣物，厚遺秦王寵臣中庶子蒙嘉。嘉為先言於秦王曰：「燕王誠振畏慕大王之威，不敢興兵以拒大王，願舉國為內臣，比諸侯之列，給貢職如郡縣，而得奉守先王之宗廟。恐懼不敢自陳，謹斬樊於期頭，及獻燕之督亢之地圖，函封，燕王拜送於庭，使使以聞大王。唯大王命之。」秦王聞之，大喜。乃朝服，設九賓，見燕使者咸陽宮。荊軻奉樊於期頭函，而秦舞陽奉地圖匣，以次進。至陛，秦舞陽色變振恐，群臣怪之，荊軻顧笑舞陽，前為謝曰：「北蠻夷之鄙人，未嘗見天子，故振懾，願大王少假借之，使畢使於前。」秦王謂軻曰：「起，取舞陽所持圖。」軻既取圖奉之，發圖，圖窮而匕首見。因左手把秦王之袖，而右手持匕首揕之。未至身，秦王驚，自引而起，絕袖。拔劍，劍長，操其室。時惶急，劍堅，故不可立拔。荊軻逐秦王，秦王還柱而走。群臣皆愕，卒起不意，盡失其度。而秦法，群臣侍殿上者，不得持尺兵。諸郎中執兵，皆陳殿下，非有詔，不得上。方急時，不及召下兵，以故荊軻逐秦王，而卒惶急無以擊軻，而乃以手共搏之。是時侍醫夏無且，以其所奉藥囊提軻。

秦王方還柱走，卒惶急不知所為，左右乃曰：「王負劍！」負劍，遂拔以擊荊軻，斷其左股。荊軻廢，乃引其匕首提秦王，不中，中柱。秦王復擊軻，軻被八創。軻自知事不就，倚柱而笑，箕踞以罵曰：「事所以不成者，乃欲以生劫之，必得約契以報太子也。」左右既前斬荊軻，秦王目眩良久。而論功賞群臣及當坐者，各有差。而賜夏無且黃金二百鎰，曰：「無且愛我，乃以藥囊提荊軻也。」（《戰國策》〈燕三〉）

腸且寸絕

　　張醜在燕國做人質，燕王要殺死他。張醜找機會逃跑了，快要出境的時候，被邊境上的官吏抓到了。張醜說：「燕王所以要殺我，是因為有人說我有價值連城的寶珠，而燕王想得到寶珠。但現在我已經丟了寶珠，燕王卻不相信我。如果您把我送到燕王那裡，我就說是您搶了我的寶珠併吞到肚子裡了。那時燕王一定會剖開您的肚子和腸子。我可能會被腰斬而死，您的腸子也會一寸寸地被截斷。」邊吏害怕，於是放走了張醜。

【出處】

　　張醜為質於燕，燕王欲殺之，走且出境，境吏得醜。醜曰：「燕王所為將殺我者，人有言我有寶珠也，王欲得之。今我已亡之矣，而燕王不我信。今子且致我，我且言子之奪我珠而吞之，燕王必當殺子，刳子腹及子之腸矣。夫欲得之君，不可說以利。吾要且死，子腸亦且寸絕。」境吏恐而赦之。（《戰國策》〈燕三〉）

士之所重

　　燕國的國相得罪了國君，[2]準備出逃，召集門下的士大夫說：「有願意跟我一起出走的嗎？」問了三次，沒有一個人回答。相國嘆息說：「唉，看來士人也不值得奉養啊！」有個士大夫上前說：「有達官顯貴不能養士這回事，哪有士子不值得養這種事呢？遇到荒年歉收，士人連糟糠都吃不飽，可您的狗馬倒有吃不完的糧食；在隆冬酷寒時節，士人粗布短衣，連四肢都遮蔽不了，而您高樓大廈上的簾幕都是以錦緞做的。錢財是您所輕視的，生死是士人看重的。不肯把您輕視的錢財送人，卻想士人奉獻看重的生命，這可能嗎？」相國滿面羞愧，只好一個人偷偷逃跑了。

【出處】

　　昔者，燕相得罪於君，將出亡，召門下諸大夫曰：「有能從我出者乎？」三問，諸大夫莫對，燕相曰：「嘻！亦有士之不足養也。」大夫有進者曰：「亦有君之不能養士，安有士之不足養者？凶年饑歲，糟粕不厭，而君之犬馬，有餘穀粟；隆冬烈寒，士短褐不完，四體不蔽，而君之臺觀，帷簾錦繡，隨風飄飄而弊。財者，君之所輕；死者，士之所重也。君不能施君之所輕，而求得士之所重，不亦難乎？」燕相遂慚，遁逃不復敢見。（《新序》〈雜事二〉）

---

2. 《戰國策考辨》一書認為此大夫為田饒，曾為燕相。《戰國策》記載為齊相管燕，見《戰國策》齊策四管燕得罪齊王，此大夫為田需。

李季見鬼

　　燕國人李季喜好遠遊，他妻子與人私通。一天，李季突然回家，剛好把情人堵在屋裡。妻子非常驚慌。女僕出主意說：「不如讓這位公子光著身子，解開髮結，徑直走出門去，我們都假裝沒看見。」公子聽從她的計謀，大步跑出門外。李季問說：「這是什麼人？」家裡人都說：「沒有人啊。」李季說：「是我看見鬼了嗎？」妻子點頭說：「一定是的。」李季說：「那怎麼辦？」妻子說：「拿各種牲畜的屎來洗身去邪。」李季說：「好吧。」於是用狗屎洗身。一說用蘭草煮的水洗身。

【出處】

　　燕人李季好遠出，其妻私有通於士，季突至，士在內中，妻患之。其室婦曰：「令公子裸而解髮，直出門，吾屬佯不見也。」於是公子從其計，疾走出門。季曰：「是何人也？」家室皆曰：「無有。」季曰：「吾見鬼乎？」婦人曰：「然。」「為之奈何？」曰：「取五牲之矢浴之。」季曰：「諾。」乃浴以矢。一曰浴以蘭湯。（《韓非子》〈內儲說下〉）

棘刺之端為母猴

　　燕王喜歡小巧玲瓏的東西。有個衛人說：「我能在棘刺的尖上雕刻獼猴。」燕王很高興，用三十里土地的俸祿去供養他。燕王說：

「我想看看你雕刻在棘刺尖上的獼猴。」衛人說：「君王要想看它，必須在半年內不到內宮住宿，不飲酒吃肉。在雨停日出、陰晴交錯的時候觀賞，才能看清我在棘刺尖上雕刻的獼猴。」燕王把衛人供養起來，卻看不到他雕刻的獼猴。鄭國臺下有個鐵匠對燕王說：「我是做削刀的人。各種微小的東西一定要用削刀雕刻，被雕刻的東西一定會比削刀大。大王只要看看他的削刀，他能不能在棘刺尖上刻東西也就清楚了。」燕王說：「好。」於是問衛人說：「你在棘刺尖上製作獼猴，用什麼來刻削呢？」衛人說：「用削刀。」燕王說：「我想看看你的削刀。」衛人說：「好吧，我現在去取。」然後趁機逃跑了。

【出處】

燕王好微巧，衛人請以棘刺之端為母猴。燕王說之，養之以五乘之奉。王曰：「吾試觀客為棘刺之母猴。」客曰：「人主欲觀之，必半歲不入宮，不飲酒食肉，雨霽日出，視之晏陰之間，而棘刺之母猴乃可見也。」燕王因養衛人，不能觀其母猴。鄭有臺下之冶者謂燕王曰：「臣為削者也。諸微物必以削削之，而所削必大於削。今棘刺之端不容削鋒，難以治棘刺之端。王試觀客之削，能與不能可知也。」王曰：「善。」謂衛人曰：「客為棘刺之？」曰：「以削。」王曰：「吾欲觀見之。」客曰：「臣請之舍取之。」因逃。（《韓非子》〈外儲說左上〉）

不察之患

有個願教燕王學習長生不死道術的客人，燕王派人去向他學習。

派去學習的人還沒來得及學到手，那個客人先死了。燕王非常惱怒，殺了去學的人。燕王不明白客人是在欺騙自己，卻怪罪去學的人太遲笨。相信沒有根據的東西，而殺掉沒有罪過的臣子，這就是不能明察的危害。況且人們最看重的無過於自己的生命，那個客人不能使自己不死，又怎能使燕王長生呢？

【出處】

客有教燕王為不死之道者，王使人學之，所使學者未及學而客死。王大怒，誅之。王不知客之欺己，而誅學者之晚也。夫信不然之物而誅無罪之臣，不察之患也。且人所急無如其身，不能自使其無死，安能使王長生哉？（《韓非子》〈外儲說左上〉）

郢書燕說

郢地有個人給燕國的國相寫信，當時是晚上，燭光不亮，郢人就對拿燭的人說：「舉燭。」嘴裡說著「舉燭」，信中隨即也寫上「舉燭」二字。「舉燭」並不是信的本意，但燕相收到信後卻解釋說：「舉燭，就是崇尚光明；所謂崇尚光明，就是要選拔賢人加以任用。」燕相告訴燕王，燕王非常高興，國家因此得到很好的治理。

【出處】

郢人有遺燕相國書者，夜書，火不明，因謂持燭者曰「舉燭」而誤書「舉燭」。舉燭，非書意也。燕相國受書而說之，曰：「舉燭者，

尚明也；尚明也者，舉賢而任之。」燕相白王，王大說，國以治。治則治矣，非書意也。今世學者，多似此類。（《韓非子》〈外儲說左上〉）

昌明文庫 · 悅讀國學 A0602023

國學經典故事：吳國　越國　燕國卷

主　　編　萬安培	
版權策畫　李煥芹	

發　行　人　林慶彰

總　經　理　梁錦興

總　編　輯　張晏瑞

編　輯　所　萬卷樓圖書股份有限公司

排　　版　菩薩蠻數位文化有限公司

印　　刷　百通科技股份有限公司

封面設計　菩薩蠻數位文化有限公司

出　　版　昌明文化有限公司

桃園市龜山區中原街 32 號

電話 (02)23216565

發　　行　萬卷樓圖書股份有限公司

臺北市羅斯福路二段 41 號 6 樓之 3

電話 (02)23216565

傳真 (02)23218698

電郵 SERVICE@WANJUAN.COM.TW

大陸經銷　廈門外圖臺灣書店有限公司

　　　電郵 JKB188@188.COM

ISBN 978-986-496-557-1

2020 年 2 月初版

定價：新臺幣 360 元

如何購買本書：

1. 轉帳購書，請透過以下帳戶

　合作金庫銀行　古亭分行

　戶名：萬卷樓圖書股份有限公司

　帳號：0877717092596

2. 網路購書，請透過萬卷樓網站

　網址 WWW.WANJUAN.COM.TW

大量購書，請直接聯繫我們，將有專人為您

服務。客服：(02)23216565 分機 610

如有缺頁、破損或裝訂錯誤，請寄回更換

國家圖書館出版品預行編目資料

國學經典故事：吳國 越國 燕國卷 / 萬安培

主編.-- 初版.-- 桃園市：昌明文化出版；臺

北市：萬卷樓發行, 2020.02

　面 ；　公分.--(昌明文庫；A0602023)

ISBN 978-986-496-557-1(平裝)

1.漢學　2.通俗作品

030　　　　　　　　　　　109002911